UNIT 1

1. 76 000

2. (a) T (b) T (c) T

3. 20

4. 15

5. 49 or 94

6. (a) 543 − 62 (b) 234 − 65

7. (a) 74 (b) 311 (c) 235 (d) 216 (e) 2172 (f) 40

8. (a) 98 643 (b) 34 698

9. (a) 4 ☐ 0 (b) 46 000

10. 10

11. $a = 100$, $b = 7$, for example

12. $p = 1000$, $q = 10$, for example

13. 2000 + 100 − 63 − 2

14. 4

15. 189

¹3	²5	2		³6	⁴8
⁵8	1		⁶1	4	4
5		⁷4	9	0	
	⁸1	8			⁹4
¹⁰7	2	8		¹¹9	4
¹²1	0	1	2		1

1. (a)

×	9	8	2	7
5	45	40	10	35
4	36	32	8	28
3	27	24	6	21
6	54	48	12	42

(b)

×	4	7	3	8
5	20	35	15	40
9	36	63	27	72
6	24	42	18	48
2	8	14	6	16

(c)

×	4	5	8	2
3	12	15	24	6
7	28	35	56	14
6	24	30	48	12
9	36	45	72	18

(d)

×	4	5	3	8
2	8	10	6	16
9	36	45	27	72
6	24	30	18	48
7	28	35	21	56

(e)

×	3	7	4	9
8	24	56	32	72
2	6	14	8	18
5	15	35	20	45
6	18	42	24	54

(f)

×	2	5	7	4
9	18	45	63	36
8	16	40	56	32
3	6	15	21	12
6	12	30	42	24

2

(g)

	2	7	8	3
5	10	35	40	15
4	8	28	32	12
6	12	42	48	18
9	18	63	72	27

(h)

	2	8	6	9
3	6	24	18	27
7	14	56	42	63
5	10	40	30	45
4	8	32	24	36

(i)

	5	6	3	8
7	35	42	21	56
2	10	12	6	16
4	20	24	12	32
9	45	54	27	72

(j)

	9	7	4	8
2	18	14	8	16
5	45	35	20	40
6	54	42	24	48
3	27	21	12	24

(k)

	7	4	5	8
2	14	8	10	16
6	42	24	30	48
9	63	36	45	72
3	21	12	15	24

(l)

	3	2	5	7
4	12	8	20	28
8	24	16	40	56
9	27	18	45	63
6	18	12	30	42

(or)

	3	9	5	7
4	12	36	20	28
8	24	72	40	56
2	6	18	10	14
6	18	54	30	42

2. (a)

	6	2	7	4	5
8	48	16	56	32	40
3	18	6	21	12	15
9	54	18	63	36	45
7	42	14	49	28	35
5	30	10	35	20	25

(b)

	4	9	7	3	8
6	24	54	42	18	48
7	28	63	49	21	56
3	12	27	21	9	24
5	20	45	35	15	40
4	16	36	28	12	32

(c)

	3	6	4	8	9
7	21	42	28	56	63
8	24	48	32	64	72
5	15	30	20	40	45
9	27	54	36	72	81
3	9	18	12	24	27

Page 3   ***Exercise 4M***

1. 257   **2.** 205   **3.** 1296   **4.** 726   **5.** 305   **6.** 1387

7. 5457   **8.** 1754   **9.** 5231   **10.** 698   **11.** 3214   **12.** 2234

13. 435 g   **14.** 42   **15.** 23   **16.** 27   **17.** 23

18. (a) 108, 12, 240, 80   (b) 15, 20, 220, 280   (c) 7, 21, 120, 24

Page 4   ***Exercise 5M***

1. 17   **2.** 14   **3.** 5   **4.** 34   **5.** 13

6. 26   **7.** 9   **8.** 1428   **9.** 55   **10.** (a) 2   (b) 6   (c) 5

11. (a)

```
        ┌─────┐
        │ 360 │
     ┌────┬────┐
     │ 30 │ 12 │
  ┌─────┬────┬────┐
  │  5  │ 6  │ 2  │
  └─────┴────┴────┘
```

(b)

```
        ┌─────┐
        │ 600 │
     ┌────┬────┐
     │ 15 │ 40 │
  ┌─────┬────┬────┐
  │  3  │ 5  │ 8  │
  └─────┴────┴────┘
```

12.

	2	9	6	3
7	14	63	42	21
5	10	45	30	15
4	8	36	24	12
8	16	72	48	24

13. 115

14. (a) 784×9 (b) 378×7 (c) 456×8

     (d) $3222 \div 6 = 537$ or $3759 \div 7 = 537$ (e) $4512 \div 8 = 564$

Page 6   **Exercise 6M**

1. 972   **2.** 1176   **3.** 900   **4.** 1672   **5.** 4890

6. 4992   **7.** 3807   **8.** 69 012   **9.** £1260   **10.** €5589

11. £7050   **12.** 1222   **13.** 3024   **14.** 602 litres   **15.** 9744

16. 1050   **17.** 1848   **18.** 24×35 **19.** £692

Page 7   **Exercise 7M**

1. 37   **2.** 31   **3.** 45   **4.** 14   **5.** 24

6. 23   **7.** 17   **8.** 61   **9.** (a) 24   (b) 321

10. 65p   **11.** 759   **12.**

	13	11	25
17	221	187	425
16	208	176	400
22	286	242	550

Page 8   **Exercise 8M**

1. 32 r 2   **2.** 34 r 5   **3.** 37   **4.** 44 r 8   **5.** 25   **6.** 47

7. 23 r 2   **8.** 23 r 2   **9.** 25   **10.** 12   **11.** 187   **12.** 36

13. 122   **14.** 1664   **15.** 35   **16.** 34×65 **17.** 630 cm   **18.** 33

4

Page 9 **Need more practice with whole number arithmetic?**

1. (Missing numbers)

(a) 11   (b) 48   (c) 6   (d) 9   (e) 2   (f) 10

(g) 81   (h) 49   (i) 56   (j) 8   (k) 72   (l) 2

(m) 42   (n) 40   (o) 8

2. (a) 24785   (b) 47   (c) 574   (d) 258 (any combination of 2, 5, 8)

3. 1378   **4.** 1073   **5.** 25956   **6.** 11 172   **7.** 16

8. 81   **9.** 257   **10.** 232   **11.** (a) true   (b) true

12. 400   **13.** 64   **14.** 22   **15.** 24   **16.** 32

17. 27   **18.** 7   **19.** 1260   **20.** 25

Page 10 **Extension questions with whole number arithmetic**

1. $98 \, cm^2$ **2.** 364   **3.** $6851 + 31$ **4.** $36\,057 + 101$

5. $54 \times 3 = 162$ **6.** 4, 6 and 9   **7.** £42.75

8. (a) $47 \times 5 = 235$ (b) $326 \times 7 = 2282$ (c) $703 \times 8 = 5624$

9. $63 360   **10.** 63

Page 11 **Exercise 1M**

1. $\frac{7}{100}, \frac{2}{10}, \frac{1}{1000}$ **2.** $\frac{3}{10}, \frac{6}{1000}, \frac{8}{100}$

3. (a) 0.3   (b) 0.07   (c) 0.11   (d) 0.004   (e) 0.16   (f) 0.016

4. 0.041, 0.14, 0.41   **5.** 0.8, 0.809, 0.81   **6.** 0.006, 0.059, 0.6

7. 0.143, 0.15, 0.2   **8.** 0.04, 0.14, 0.2, 0.53   **9.** 0.12, 0.21, 1.12, 1.2

10. 0.08, 0.75, 2.03, 2.3   **11.** 0.26, 0.3, 0.602, 0.62   **12.** 0.5, 1.003, 1.03, 1.3

13. 0.709, 0.79, 0.792, 0.97   **14.** 0.24 g, 0.21 g, 0.206 g, 0.2 g, 0.18 g, 0.109 g

15. (a) 11.26   (b) 1.304   (c) 0.392

16. My birthday is

Page 12 **Exercise 2M**

1. 7.27   **2.** 44.321   **3.** 51.9   **4.** 2.41   **5.** 0.986   **6.** 8.26

7. £3.86   **8.** 1.61 m   **9.** £344.14   **10.** $5.37 + 3.54 = 8.91$

11. $6.95 + 2.26 = 9.21$ **12.** $6.86 + 2.17 = 9.03$ **13.** $8.56 - 4.83 = 3.73$

14. $4.07 + 4.96 = 9.03$ **15.** $3.176 - 2.428 = 0.748$ **16.** 0.01

17. (a) 8.7   (b) 6.6   **18.** (a) 1.5, 15, 5.3, 5.9, 11.2   (b) 0.59, 0.7, 0.63, 7.63, 2.43

19. 124.83 m

Page 14   **Exercise 3M**

1. 36.78   **2.** 71.54   **3.** 42.72   **4.** 11.61   **5.** 68   **6.** 0.37

7. 13.32   **8.** 92.4   **9.** £11.70   **10.** £119.96   **11.** £9.52   **12.** £13.77

13. (a) 2.8, 8.4, 84   (b) 7.5, 22.5, 2250   (c) 0.32, 32, 16

14. 2.24 m   **15.** (a) £116   (b) £116 000   **16.** £10

17. (a) $12.15   (b) $48.60   **18.** £25.80

19. (a) 120   (b) 510   (c) 25 200   (d) 240   (e) 1150   (f) 37 100

Page 16   **Exercise 4M**

1. 0.08   **2.** 0.18   **3.** 0.16   **4.** 0.012   **5.** 2.1   **6.** 0.014

7. 0.45   **8.** 0.24   **9.** 0.002   **10.** 0.49   **11.** 0.8   **12.** 4.2

13. 0.45   **14.** 0.016   **15.** 0.0006   **16.** 0.66   **17.** 0.36   **18.** 0.64

19. 0.56   **20.** 1.05   **21.** €91.20

22. (a) 1.2   (b) 0.1   (c) 100   (d) 0.2   (e) 0.8   (f) 100

23. (a) 0.84 m²   (b) 0.49 cm²   (c) 0.54 cm²

Page 16   **Exercise 4E**

1. 2.233   **2.** 9.12   **3.** 0.066   **4.** 0.324   **5.** 5.677

6. 12.96   **7.** 0.253   **8.** 9.27   **9.** 0.04   **10.** 0.16

11.

×	0.1	0.02	0.5	8
3	0.3	0.06	1.5	24
0.2	0.02	0.004	0.1	1.6
2.1	0.21	0.042	1.05	16.8
10	1	0.2	5	80

12. £1.43   **13.** 0.9 m²   **14.** (a) 1.6   (b) 18   (c) 2.38   (d) ÷ by 100

15. £105.48   **16.** (a) 9.024   (b) 2.8548   (c) 298.6138   **17.** 0.8281 m²

6

Page 18   Exercise 5M*Page 18*   ***Exercise 5M***

1. 6.24 **2.** 54.14 **3.** 1.34 **4.** 0.205 **5.** 3.4 **6.** 2.75

7. £1.52 **8.** £8.47 **9.** 0.928 kg **10.** 16 **11.** £6.65

12. NUMBERS **13.** (a) 3.4 (b) 4.32 (c) 3.6 (d) 3.12 (e) 7.2

14.

¹7	²6	■	³1	⁴2	⁵4
⁶2	0	⁷8	■	⁸4	2
■	⁹1	1	¹⁰6	■	5
¹¹1	■	■	¹²3	¹³8	■
¹⁴9	¹⁵7	3	■	¹⁶5	¹⁷3
¹⁸1	5	■	¹⁹1	0	2

Page 19   ***Exercise 5E***

1. (a) $\dfrac{74}{5} = 14.8$ (b) $\dfrac{60}{2} = 30$ (c) $\dfrac{2160}{4} = 540$ (d) $\dfrac{1230}{4} = 307.5$

2. 62 **3.** 28 **4.** 170 **5.** 24 **6.** 16 **7.** 59

8. 65 **9.** 32 **10.** 72

11.

120	1200	12000
6	60	600
0.2	2	20
89	890	8900
67.1	671	6710
863	8630	86300

(a) the number increases

(b) multiply by 10, 100, 1000

12. 164 **13.** 38 **14.** 79 **15.** 202 **16.** 86 **17.** 16 **18.** 106

Page 20   ***Need more practice with decimals?***

1. 26.07 **2.** 14.3 **3.** 30.4 **4.** 1.74 **5.** 1.163 **6.** 12.61

7. 10.64 **8.** 3.14 **9.** 20 **10.** 1230 **11.** 194.5 **12.** 0.68

13. 3.92 **14.** 0.158 **15.** 0.006 **16.** 48.592

17. $8.2 + 4.8 = 13$ **18.** $7.2 \times 0.01 = 0.072$ **19.** $27.42 \div 3 = 9.14$

20. $11.14 - 3.64 = 7.5$ **21.** $90.2 \div 11 = 8.2$ **22.** $3.54 \times 7 = 24.78$

23. 75.48 cm^2 **24.** 0.175 kg **25.** 33.2 hours

Page 21   *Extension questions with decimals*

1. (a) F   (b) T   (c) F   (d) T   (e) F   (f) T

2.

¹3	²5	2		³6	⁴8
⁵8	1		⁶1	4	4
5		⁷4	9	0	
	⁸1	8			⁹4
¹⁰7	2	8		¹¹9	4
¹²1	0	1	2		1

3. 60.68 kg   **4.** (a) 49   (b) 172   (c) 66

5. (a) 7   (b) 4.2   **6.** £255

7.

57	÷	3	→	19
+		×		
147	+	53	→	200
↓		↓		
204	−	159	→	45

8.

18	×	5	→	90
×		+		
0.1	×	10	→	1
↓		↓		
1.8	+	15	→	16.8

9.

25	×	0.4	→	10
×		+		
6	×	0.6	→	3.6
↓		↓		
150	−	1	→	149

10.

35	×	100	→	3500
−		÷		
0.2	×	1000	→	200
↓		↓		
34.8	+	0.1	→	34.9

11.

48	×	9	→	432
÷		×		
16	×	13	→	208
↓		↓		
3	+	117	→	120

12.

5	−	0.2	→	4.8
÷		+		
100	−	2	→	98
↓		↓		
0.05	+	2.2	→	2.25

13.

10	×	0.2	→	2
÷		×		
4	÷	8	→	0.5
↓		↓		
2.5	−	1.6	→	0.9

14.

19.6	÷	7	→	2.8
×		−		
0.1	×	0.3	→	0.03
↓		↓		
1.96	+	6.7	→	8.66

15.

8.42	−	0.2	→	8.22
×		×		
15	×	80	→	1200
↓		↓		
126.3	+	16	→	142.3

16.

20	÷	100	→	0.2
×		÷		
22	×	200	→	4400
↓		↓		
440	×	0.5	→	220

17.

1.22	×	7	→	8.54
+		−		
3.78	+	3	→	6.78
↓		↓		
5	÷	4	→	1.25

18.

32.4	+	57.8	→	90.2
÷		−		
9	×	52	→	468
↓		↓		
3.6	+	5.8	→	20.88

Page 25 **Exercise 1M**

1. 11	**2.** 1	**3.** -5	**4.** 12	**5.** 21	**6.** 2
7. 17	**8.** 24	**9.** 9	**10.** 30	**11.** 30	**12.** 25
13. 8	**14.** 5	**15.** 6	**16.** 8	**17.** 8	**18.** 3
19. 7	**20.** -2	**21.** -4	**22.** 14	**23.** 13	**24.** 0
25. 52	**26.** 11	**27.** 10	**28.** 20	**29.** 5	**30.** 5

31. (a) $4 \times 4 - 7 = 9$ (b) $20 - 3 \times 5 = 5$ (c) $24 \div 3 - 4 = 4$

(d) $(10 - 1) \times 4 = 36$ (e) $26 - (10 - 3) = 19$ (f) $36 \div (7 - 1) = 6$

(g) $(6 + 7) \times 5 = 65$ (h) $11 - 12 \div 2 = 5$ (i) $9 + 7 \times 3 = 30$

(j) $44 + (24 \div 2) = 56$ (k) $(3 \times 7) - 21 = 0$ (l) $48 \div 8 + 11 = 17$

Page 26 **Exercise 2M**

1. 15	**2.** 10	**3.** 5	**4.** 9	**5.** 11	**6.** 1
7. 7	**8.** 0	**9.** 8	**10.** 4	**11.** 0	**12.** 1
13. 18	**14.** 18	**15.** 12	**16.** 27	**17.** 8	**18.** 6
19. 1	**20.** 22	**21.** 9	**22.** 0	**23.** 5	**24.** 0
25. 20	**26.** 10	**27.** 16	**28.** 52	**29.** 40	**30.** 111
31. 51	**32.** 30	**33.** 11	**34.** 9	**35.** 28	**36.** 106
37. 54	**38.** 4	**39.** 4	**40.** 153	**41.** 59	**42.** 165
43. 85	**44.** 12	**45.** 33	**46.** 64	**47.** 67	**48.** 1172
49. 52	**50.** 5	**51.** 4	**52.** 16	**53.** 8	**54.** 2

Page 27 **Exercise 3M**

1. 16	**2.** 27	**3.** 0	**4.** 37	**5.** 8	**6.** 7
7. 12	**8.** 64	**9.** 80	**10.** 18	**11.** 496	**12.** 125

13. 81   **14.** 8   **15.** 27   **16.** 1   **17.** 64   **18.** 64

19. 16   **20.** 10   **21.** 18   **22.** 40   **23.** 24   **24.** 4

Page 28   **Exercise 4M**

1. $(36 - 9) \div 3$ required

2. $(3 + 4) \times 5 = 35$

3. $6 + (9 \times 7) = 69$

4. $(7 \times 2) + 3 = 17$

5. $(9 + 12) \times 5 = 105$

6. $6 \times (8 - 2) = 36$

7. $(3 \times 8) - 6 = 18$

8. $(19 - 6) \times 3 = 39$

9. $27 - (9 \div 3) = 24$

10. $(51 \div 3) + 4 = 21$

11. $7 \times (24 - 5) = 133$

12. $(6 + 14) \div 2 = 10$

13. $(11 + 6) \times 4 = 68$

14. $(12 \times 8) - (9 \times 7) = 33$

15. $(8 \times 9) - (4 \times 7) = 44$

16. (a) $(5 \times 6 - 4) \div 2 = 13$ (b) correct   (c) correct

(d) correct   (e) $(6 + 7 - 1) \div 2 = 6$ (f) correct

Page 28   **Exercise 4E**

1. $(4 + 8) \div 2 = 6$

2. $(5 + 2) \times 3 = 21$

3. $(7 + 2) \div 3 = 3$

4. $(9 - 4) + 2 = 7$

5. $(8 - 4) \times 5 = 20$

6. $(20 - 2) \div 3 = 6$

7. $(7 \times 4) + 2 = 30$

8. $(7 \times 6) - 22 = 20$

9. $(6 \div 3) \times 4 = 8$

10. $40 \div (8 - 3) = 8$

11. $(36 + 4) \div 8 = 5$

12. $(49 \div 7) \times 2 = 14$

13. $21 + 14 - 11 = 24$

14. $(16 \times 3) + 9 = 57$

15. $(12 + 16) \div 4 = 7$

16. $42 + 6 - 24 = 24$

17. $(18 - 13) \times 5 = 25$

18. $40 \div (16 - 6) = 4$

19. $(7 \times 8) - 6 = 50$

20. $(13 \times 4) - 8 = 44$

21. $4 \times (9 \div 3) = 12$

22. $7 \times (9 \div 3) = 21$

23. $(45 \div 3) - 4 = 11$

24. $(121 \div 11) \times 7 = 77$

Page 29   **Exercise 5M**

1. (a) $8 + \dfrac{6}{2}$ (b) $\dfrac{10}{2} + 4$ (c) $12 - \dfrac{8}{2}$ (d) $\dfrac{10}{3 + 1}$ (e) $\dfrac{12 - 7}{2}$ (f) $\dfrac{10}{5} - 1$

2. 2   **3.** 8   **4.** 3   **5.** 3   **6.** 2   **7.** 2

8. 4   **9.** 19   **10.** 9   **11.** 6.4   **12.** 6.2   **13.** 0.09

14. Should be $8 + \dfrac{4}{4}$ **15.** (a) 1.12   (b) 2.11   (c) 5

16. eg. $\dfrac{6.6 + 3.4}{2.5} + \dfrac{15}{1.5}$

Page 30   **Exercise 6M**

1. (a) 5   (b) 8   (c) 4   (d) 3

10

2. (a) $17 - (4.2 \times 3) =$ (b) $\boxed{}28 \downarrow 2.41 + 4.59 =$

3. 9.05	**4.** 11.36	**5.** 5.7	**6.** 12.4	**7.** 1.51
8. 4.68	**9.** 2.81	**10.** 4.07	**11.** 15	**12.** 2.4
13. 3.712	**14.** 8.4	**15.** 8.2695	**16.** 9.757	**17.** 5.98
18. 6.2	**19.** 17	**20.** 2.1	**21.** C/E, B/D, F/G	

22. (a) $\boxed{}9 - 3 \downarrow 4 + 8 =$ (b) $\boxed{}30 \downarrow 8 - 3 \rightarrow + 4 \times 7 =$

23. 5.36	**24.** 80.6013	**25.** 7.7721139	**26.** 16.5649	**27.** 7.3441
28. 12.510369	**29.** 64.11	**30.** 1.575757	**31.** 14.09125	**32.** 2.4900285
33. 0.58615004	**34.** 2.6989796	**35.** 86.6484	**36.** 44.91	**37.** 1.038
38. 1.0307143	**39.** 6.266476	**40.** 0.82546816	**41.** 2.325	**42.** 9.88558
43. 13.380645	**44.** 1.5163075			

Page 31   *Need more practice with using a calculator?*

1. 5.1651376	**2.** 1.6886931	**3.** 2.112388	**4.** 0.4923664
5. 4.2583732	**6.** 0.6362010	**7.** 11.785714	**8.** 2.778
9. 10.9771429	**10.** 1.2347268	**11.** 7.866666	**12.** 7.7327586
13. 2.1890756	**14.** 1.3240152	**15.** 1.8669384	**16.** 7.46
17. 28.8369	**18.** 13.2711	**19.** 70.193	**20.** 30.1365
21. 14.89	**22.** 0.1855319	**23.** 0.3081383	**24.** 9.2775
25. 1.1640816	**26.** 20.395882	**27.** 1.3277801	

28. (a) €302   (b) £614   **29.** (a) $24\,725\,\text{m}^2$ (b) 2.4725 hectares

30. 84 000   **31.** 2003 only

Page 32   *Extension questions with using a calculator*

1. OI	**2.** IGLOO	**3.** BOILED	**4.** EGGS	**5.** SELL
6. I	**7.** SIGHED	**8.** HEIDI	**9.** SHELLS	**10.** BIG
11. GOOSE	**12.** EGGS	**13.** GEESE	**14.** SIEGE	**5.** SID
16. HE	**17.** IS	**18.** BIG	**19.** SLOB	**20.** LESLIE
21. HE	**22.** SLOSHED	**23.** BOOZE	**24.** OH	**25.** BOSS
26. HEDGEHOG				

Page 33 **Spot the mistakes 1**

1. $60 \times 52 = 3120$ not 312. Correct answer $= 3588$

2. decimal point in wrong place. Correct answer $= 0.12$

3. round up so 36 boxes needed

4. correct

5. $47 \div 7 = 6r. 5$ not 5r. 5. Correct answer $= 26.8$

6. $460 \times 2 = 920$ not 820. Correct answer $= £7.53$

7. $\dfrac{22}{0.04} = \dfrac{2200}{4}$ not $\dfrac{220}{4}$. Correct answer $= 550$

8. $3 + 3.4$ not $\dfrac{20}{5}$. Correct answer $= 6.4$

9. correct

10. No. Require $(8 + 12) \div 2 \times 3$

Page 35 **Exercise 1M**

1. $d - 9$ **2.** $2x$ **3.** $y + 25$ **4.** $\dfrac{m}{6}$ **5.** $2k - 8$

6. $3M - 4$ **7.** $25p$ **8.** $2w + 15$ **9.** $10q - 8$ **10.** $\dfrac{n}{3} + 5$

11. $3b + 8$ **12.** $\dfrac{y}{8} - 7$ **13.** $\dfrac{3f}{10}$ **14.** $p = 2m + n$ **15.** $5m$

16. $8h$ **17.** $2w + 6$

18. $m + n$ not mn **19.** Both are correct   **20.** $12m$

Page 37 **Exercise 2M**

1. $2x + y$ **2.** $3s - w$ **3.** $4x - y + 5$ **4.** $\dfrac{n}{5} - 3$ **5.** $g - f + n$

6. $2y + 3w - x$ **7.** $4(p + q)$ **8.** $6m + 3n$ **9.** $5q - 3p + 4m$ **10.** $\dfrac{2n}{9} + 6$

11. $5x$ **12.** $y + 20$ **13.** $\dfrac{N}{6}$ **14.** $w - 9$ **15.** $3m$

16. $4x + 45$ **17.** $\dfrac{w}{4}$

18. (a) $n - 40$ (b) $\dfrac{n - 40}{m}$ **19.** Should be $n + 4$

Page 39 **Exercise 3M**

1. $8a$ **2.** y **3.** $4x + 6$ **4.** $12t$ **5.** $6a - 5$

6. $30h$ **7.** $12y - 12$ **8.** $11y$ **9.** should be $7n + 9$

10. (a) $10x + 9$ (b) $12m + 11n + 6$ (c) $9a + 14b + 13$

11. A **12.** $3x + 2$ **13.** $9p + 5q$ **14.** $8x + 2$ **15.** $6a + 10b$

16. $12m + 1$ **17.** $2h + 25$ **18.** $12m + 6n$ **19.** $6p + 3q$ **20.** $9x + 4$

21. $8x + 3y + 6$ **22.** $4a + 3b + 4c$ **23.** $3w + 8$ **24.** $2a + 15$ **25.** $y + 3$

26. $6a + 12c$ **27.** $9p + 2q$ **28.** $7m + 2n + 4$ **29.** $14x + 8$ **30.** (b) and (c)

31 (a)

$n + 3$

$3n + 6$

(b) $8n + 18$

32. (a) $8n^2$ (b) $2n^2 + 8n$ (c) $8n + 4n^2$

(d) $2 + 6n^2$ (e) $3n + 4n^2$ (f) $7n^2 + 4n + 2$

(g) $6n - 4 + 2n^2$ (h) $8n^2 + 2n$ (i) $3n^2 + 5n$

Page 40 Exercise 4M

1. (a) $xy = yx, x + y = y + x$ **2.** $n \times n \times n$ **3.** (a) $n + n = 2 \times n, n \times n = n^2$

4. true **5.** true **6.** false **7.** true

8. false **9.** true **10.** false **11.** false

12. false **13.** false **14.** true **15.** false

16. (a) 1 (b) a (c) n (d) 6

Page 41 Exercise 5M

1. $8ab$ **2.** $15cd$ **3.** $42mn$ **4.** $24pq$ **5.** $18ab$ **6.** $10mnp$

7. $42abc$ **8.** $24pqr$ **9.** $30ab$ **10.** $140mn$ **11.** m^2 **12.** $32m^2$

13. $9p^2$ **14.** $4a^2$ **15.** $9p^3$

16. (a) $12xy$ (b) $12wx$ (c) $8mn$

17. both correct because $mn = nm$

18. (a) $2pq$ (b) $7xy + 2mn$ (c) $3m + 4mn$ (d) $5ab + 2a$

(e) $y + 7xy$ (f) $2ab + 13cd - 2c$ (g) $a + 6ab$ (h) $q + 4 + 7pq$

19. $39mn$ **20.** $2ab$ **21.** $2x + xy$

22. (a) $15ac$ (b) $10bc$ (c) $18ac$ (d) $2bc$ (e) $12bc$ (f) $18ac + 12bc$

23. $(12a, b), (a, 12b), (6a, 2b), (2a, 6b), (4a, 3b), (3a, 4b), (12ab, 1), (ab, 12), (6ab, 2), (2ab, 6),$ $(4ab, 3), (3ab, 4)$

Page 43 **Investigation** – **Number Walls**

Part A: Largest total obtained by putting largest numbers in the middle of the base, smallest numbers at either end.

Part D: Pupils should be encouraged (and helped) to use algebra.
With 3 bricks: Top brick $= a + 2b + c$
With 4 bricks: Top brick $= a + 3b + 3c + d$
With 5 bricks: Top brick $= a + 4b + 6c + 4d + e$

Pascal's triangle can be seen in the coefficients.

Page 44 **Exercise 6M**

1. 18 **2.** 37 **3.** £325

4. (a) 50 (b) 122 (c) 43

5. 75 **6.** £60 **7.** 28 **8.** 58 **9.** 6 **10.** 32

11. 23 **12.** 14 **13.** 16 **14.** 50 **15.** 15 **16.** 4

17. 10 **18.** 108

19. (a) $A = 9w + 12n$ (b) $A = £192$

20. (a) $A = m(n + 3)$ (b) $A = 135$

Page 46 **Exercise 7M**

1. (a) E (b) H (c) A (d) F (e) C

2. Aaron correct because 1 must be multiplied by 4

3. $2x + 6$ **4.** $6x + 24$ **5.** $3x + 27$ **6.** $5x + 40$ **7.** $4x - 28$

8. $2x - 16$ **9.** $9x - 36$ **10.** $6x - 48$ **11.** $4x + 4y$ **12.** $7a + 7b$

13. $3m - 3n$ **14.** $10x + 15$ **15.** $24x - 42$ **16.** $8a + 4b$ **17.** $9m + 18n$

18. $4x + 12y$ **19.** $8m + 2n$ **20.** $35x - 21$ **21.** $24 - 8x$ **22.** $24 - 12x$

23. $15a + 25b$ **24.** Josh is correct, Area $= 7(3m - 2) = 21m - 14$

Page 47 **Exercise 8M**

1. n multiplied by $3n$ equals $3n^2$ not $3n$

2. $pq + pr$ **3.** $mn - mp$ **4.** $ab + ac$ **5.** $ab - ae$

6. $xy + 3x$ **7.** $mn - 6m$ **8.** $xy - 9x$ **9.** $pq - 5p$

10. $ac + 7a$ **11.** $m^2 - 6m$ **12.** $p^2 - 2p$ **13.** $7a - a^2$

14. $10a + 15$ **15.** $27m - 18$ **16.** $24x - 6$ **17.** $32n + 28$

18. $4b - b^2$ **19.** $2m^2 + 6m$ **20.** $12n^2 + 16n$ **21.** $10m^2 - 35m$

14

22. $6x - 15x^2$ **23.** $8m - 32m^2$ **24.** $6x^2 - 4xy$ **25.** $8mn + 24m^2$

26. (a) $n(m + 25)$ (b) $mn + 25n$ (c) £1530

27. (a) area P $= 6n^2 + 2n$, area Q $= 3n^2 + 6n$, area R $= 8n^2 - 12n$

     (b) area P $= 104$, area Q $= 72$, area R $= 80$ so P is largest

Page 48   *Exercise 8E*

1. $5x + 14$ **2.** $7x + 21$ **3.** $7x + 12$ **4.** $11x + 34$ **5.** $10x + 33$

6. $13x + 16$ **7.** $37x + 30$ **8.** $10x$ **9.** $14x + 20$ **10.** $13x + 8$

11. $29x + 16$ **12.** $11x + 24$ **13.** $6x + 6$ **14.** $21x + 1$ **15.** $22x + 8$

16. $34x + 6$ **17.** $18x + 2$ **18.** $31x + 2$ **19.** $36x + 21$ **20.** $48x + 6$

21. (a) $12x + 58$ (b) $17x + 48$ (c) $24x + 76$

22. $26x + 49$

Page 49   *Exercise 9M*

1. $\square = 8$ **2.** $\bigcirc = 5$ **3.** $\bigcirc = 12$ **4.** $\square = 4$ **5.** $\triangle = 3$

6. $\triangle = 4$ **7.** $\square = 12$ **8.** $\triangle = 10$ **9.** $\triangle = 14$ **10.** $\square = 8$

11. $\bigcirc = 9$ **12.** $\bigcirc = 5$

Page 50   *Exercise 9E*

1. $\square = \triangle = 5$ **2.** $\square = 2, \bigcirc = 4$ **3.** $\square = \triangle = 4$ **4.** $\triangle = 3, \bigcirc = 2$

5. $\bigcirc = 2, \square = 4$ **6.** $\triangle = 10, \square = 5$ **7.** $\bigcirc = 10, \square = 0$ **8.** $\triangle = 3, \bigcirc = 0$

9. $\triangle = 3, \bigcirc = 3$ **10.** $\triangle = 5, \square = 5$ **11.** $\square = 2, \bigcirc = 6$ **12.** $\square = 4, \triangle = 8$

13. $\triangle = 4, \bigcirc = 4$ **14.** $\bigcirc = 12$

Page 51   *Need more practice with the rules of algebra?*

1. $2m + 6n + 10$ **2.** A $-$ C, B $-$ E, D $-$ G, F $-$ H

3. $p = 28$ **4.** $y = 9$ **5.** eg. $4 - 2$ not equal to $2 - 4$

6. (a) $28mn$ (b) $12xy$ (c) $24n^2$ (d) $40ab$ (e) $3mn + 7$

     (f) $2ab + 4a + 2$ (g) $6ab + b$ (h) $32n^2$ (i) $3n + mn$

7. £63   **8.** Correct   **9.** 54   **10.** 80

11. (a) $24n + 40$ (b) $n^2 + 4n$ (c) $2m^2 - 3m$ (d) $9n^2 + 7n$

     (e) $2m^2 - 2mn$ (f) $15a^2 + 12ab$

Page 52 *Extension questions with the rules of algebra*

1. $\dfrac{211v}{48}$

2. (a) $18n + 12$ (b) $12(18n + 12) = 216n + 144$

3. $y = 55$ **4.** $a = 5$ **5.** correct

6. (a) $14n^2 + 22n$ (b) $18m^2 + 29m$ (c) $7y^2 + 14y$ (d) $22n^2 + 21n$

7. yes if $x = y = 0$

8. (a) $30n^2$ (b) $56n^3$ (c) $72mn^2$ (d) $40m^2n$ (e) $\dfrac{3n}{7}$

  (f) $\dfrac{5m}{9}$ (g) m (h) $\dfrac{3n}{8}$ (i) $\dfrac{4m}{5}$

9. Equal when $n = 3$ or -3

10. (a) $6a + 4b$

    (b) $a = 20, b = 130$ or $a = 40, b = 100$ or $a = 60, b = 70$ or $a = 80, b = 40$ or $a = 100, b = 10$

Page 56 *Exercise 1M*

1. (a) -6 (b) -6 (c) -8 (d) -13 (e) 2 (f) 4

  (g) -11 (h) -4 (i) 0 (j) -9 (k) -7 (l) -12

2. (a) 9 (b) 0 (c) -7 (d) -9 (e) 0 (f) -12

  (g) 1 (h) -2 (i) -30 (j) -20 (k) -40 (l) -4

3. -8

4. (a) 4 (b) 11 (c) -5 (d) -3 (e) -9 (f) -11

  (g) -2 (h) 10 (i) 16 (j) -12 (k) 0 (l) -11

5. (a) 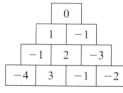 (b) 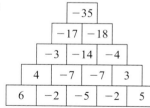 (c)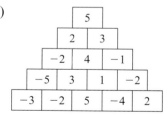

6. (a) 1 (b) -6 (c) 1 (d) 0 (e) -4 (f) -3

  (g) -1 (h) 0 (i) -12 (j) -7 (k) 1 (l) -7

7. (a) 4 (b) 10 (c) -2 (d) -4 (e) -2 (f) -9

8. (a)

3	2	-2
-4	1	6
4	0	-1

(b)

0	1	-4
-5	-1	3
2	-3	-2

9. (a) true   (b) false   (c) true   (d) true   (e) false

     (f) false   (g) true   (h) false   (i) false

10. -34

Page 58   **Exercise 2M**

1. (a) -8 (b) -20 (c) -12 (d) 6   (e) -18 (f) -16

     (g) 30   (h) -7

2. (a) -4 (b) -5 (c) -4 (d) 3   (e) 3   (f) -5

     (g) -5 (h) 3

3. (a) -2 (b) -48 (c) 28   (d) -32 (e) 2   (f) -3

     (g) -90 (h) 9

4. $-8, -1; -4, -2$

5. (a) 7   (b) -7 (c) -2 (d) -9 (e) -50 (f) 72

     (g) -12 (h) -15 **(i)** -21

6. (a)

×	−4	−7	2	0	−8	5
3	−12	−21	6	0	−24	15
−9	36	63	−18	0	72	−45
6	−24	−42	12	0	−48	30
−4	16	28	−8	0	32	−20
−6	24	42	−12	0	48	−30
−1	4	7	−2	0	8	−5

(b)

×	−3	7	10	−4	−6
−2	6	−14	−20	8	12
4	−12	28	40	−16	−24
−5	15	−35	−50	20	30
8	−24	56	80	−32	−48
−3	9	−21	−30	12	18

7. (a) -8 (b) 30   (c) 9   (d) 36   (e) -32 (f) -40

     (g) 1   (h) -8

Page 59   **Need more practice with negative numbers?**

1. $-7 + 4$

2. (a) 4   (b) -11 (c) -4 (d) -4 (e) 6   (f) -9

     (g) -8 (h) -1

3. (a) -7 (b) -27 (c) -47

4. (a) -7 (b) -4 (c) 6   (d) -10 (e) -32 (f) -9

5. $45 \div \boxed{-5} = -9 \times -3 = \boxed{27} \times \boxed{-2} = \boxed{-54} \div 6 = -9$

6. 3

Page 60   Extension questions with negative numbers

1. (a) 30   (b) -108 (c) -16 (d) 30   (e) -20 (f) 108

2. 96

3. $(1, -24), (-1, 24), (2, -12), (-2, 12), (3, -8), (-3, 8), (4, -6), (-4, 6)$

4. $m = -3, n = -2$

5. (a) 17   (b) 0   (c) 45   (d) -36 (e) 32   (f) 25

Page 61   Spot the mistakes 2

1. m and m^2 are unlike terms so cannot be added.

2. Correct   **3.** $-5 + 3 = -2$

4. $- \times - = +$ so answer $= 16$ **5.** 1 must be multiplied by 3 so answer $= 6n + 3$

6. Correct   **7.** at means $a \times t = 4 \times 3 = 12$ so $v = 18$

8. Correct   **9.** $-12 - 5 = -17$ not -7

10. Middle 2 numbers on bottom row $-6 + 2$ should equal -4 not -8.

Page 61   Applying mathematics 1

1. Many possible answers   **2.** 20   **3.** 5   **4.** 3784

5. Just over 596 years   **6.** $11n^2 + 2n$ **7.** 25

8. (a) 13.6 g   (b) 50p

9. (a) $3n + 3n + 2n + n$ (b) $9n$ (c) $n = 40$ (d) 193 600

10. £1928

Page 63   Unit 1 Mixed Review

Part one

1.

¹2	²1	³9		⁴5	⁵5
⁶6	6	5	⁷4		3
⁸6	9		⁹3	¹⁰7	6
		¹¹3	6	9	
¹²4	¹³4	1		¹⁴9	¹⁵7
¹⁶7	5	0		¹⁷6	4

2. (a) $5 \times 6 - 6 = 24$

(b) $30 - 4 \times 7 = 2$

(c) $36 \div 9 + 7 = 11$

(d) $(12 - 7) \times 4 = 20$

(e) $32 - (12 - 8) = 28$

(f) $13 - 12 \div 2 = 7$

18

3. (a) $5p + 6q$ (b) $2m + 2$ (c) $2xy + 8y$

4. (a) $2x + 2y$ (b) $3n + 16$

5. Any suitable diagram **6.** List C **7.** 44

8. (a) $2a + b + c$ (b) $2a, a, 3a$ (c) bottom: $m + n, m + 3n$, top: $5m + 5n$

9. (a) 7.7 (b) 3.5 (c) 10.65 (d) 3.2 (e) 8.4 (f) 15

10. Not right

11. (a) -5 (b) 25 (c) -27

12. $8n + 12 + 6n + 2 = 14n + 14$ multiply all terms in the bracket

Part two

1. (a) $559 + 294$ (b) $691 - 278$ (c) $474 - 129$ (d) $239 \times 6 = 1434$

(e) $533 \times 4 = 2132$ (f) 6 missing (g) 5 missing (h) 4 missing

(i) 8 missing

2. (c) is correct

3.

×	7	4	9	8
5	35	20	45	40
2	14	8	18	16
6	42	24	54	48
9	63	36	81	72

×	5	9	8	6	4
3	15	27	24	18	12
7	35	63	56	42	28
2	10	18	16	12	8
5	25	45	40	30	20
8	40	72	64	48	32

4. £829

5. (a) $6n + 3$ (b) C and D (c) B (d) $13n + 8$

6. 6

7. (a) $15m + 10$ (b) $24n - 20$ (c) $4mn + n^2$

8. (a)

-3	4	-1
2	0	-2
1	-4	3

(b)

-3	-5	5
7	-1	-9
-7	3	1

(c)

3	0	-4	-9
-10	-3	1	2
-7	-6	-2	5
4	-1	-5	-8

9. Not correct, $\dfrac{0.6}{0.03} = \dfrac{60}{3} = 20$ **10.** $\dfrac{2}{n}$

11. Must multiply 2 and 6 first so $3 + 12 - 1 = 14$

12. -10

Page 67 **Puzzles and Problems 1**

1. (a) A = 7, B = 5, C = 8, D = 10   (b) A = 6, B = 2, C = 5, D = 4, E = 8

   (c) A = 6, B = 3, C = 1, D = 5   (d) A = 8, B = 3

2. (a)
$$\begin{array}{r} 314 \\ +\ 463 \\ \hline 777 \end{array}$$
(b)
$$\begin{array}{r} 354 \\ +\ 624 \\ \hline 978 \end{array}$$
(c)
$$\begin{array}{r} 358 \\ +\ 144 \\ \hline 502 \end{array}$$

3. (a)
$$\begin{array}{r} 536 \\ +\ 214 \\ \hline 750 \end{array}$$
(b)
$$\begin{array}{r} 246 \\ +\ 357 \\ \hline 603 \end{array}$$
(c)
$$\begin{array}{r} 634 \\ +\ 284 \\ \hline 918 \end{array}$$

4. (a)
$$\begin{array}{r} 37 \\ \times\ \ 5 \\ \hline 185 \end{array}$$
(b)
$$\begin{array}{r} 47 \\ \times\ 9 \\ \hline 423 \end{array}$$
(c)
$$\begin{array}{r} 374 \\ \times\ \ 8 \\ \hline 2992 \end{array}$$

5. (a) $231 \div 7 = 33$ (b) $13 \times 11 = 143$ (c) $12 \times 9 = 108$ (d) $918 \div 6 = 153$

6. (a)
$$\begin{array}{r} 856 \\ -\ 324 \\ \hline 532 \end{array}$$
(b)
$$\begin{array}{r} 832 \\ -\ 415 \\ \hline 417 \end{array}$$
(c)
$$\begin{array}{r} 645 \\ -\ 288 \\ \hline 357 \end{array}$$

7. (a) $55 \times 8 = 440$ (b) $21 \times 11 = 231$ (c) $400 \div 8 = 50$ (d) $978 \div 6 = 163$

8. (a) $79 + 48 = 127$ (b) $512 - 49 = 463$ (c) $653 - 487 = 166$ (d) $875 - 579 = 296$

9. 12

10.

E	C	A	D	B
D	B	E	C	A
C	A	D	B	E
B	E	C	A	D
A	D	B	E	C

11. 11 tapes at £7.99: £87.89

12. Three on each side, etc!

Page 69 **Divisibility investigation**

TASK A

Number	Divisible by						
	2	3	4	5	6	8	9
363	✗	✓	✗	✗	✗	✗	✗
224	✓	✗	✓	✗	✗	✓	✗
459	✗	✓	✗	✗	✗	✗	✓
155	✗	✗	✗	✓	✗	✗	✗
168	✓	✓	✓	✗	✓	✓	✗
865	✗	✗	✗	✓	✗	✗	✗
360	✓	✓	✓	✓	✓	✓	✓
2601	✗	✓	✗	✗	✗	✗	✓

TASK B   37 177 Yes, 8498 Yes, 431 781 Yes, 42 329 Yes, 39 579 No, 910 987 Yes

20

*Page 70 **Mental Arithmetic Test 1***

1. 6   **2.** 600   **3.** $\frac{1}{4}$ **4.** 31

5. 550 cm   **6.** 9   **7.** 16   **8.** 27%

9. 36 m²   **10.** 8 or 16   **11.** 850   **12.** any multiple of 8

13. 2   **14.** 4.3   **15.** 15   **16.** 14°C

17. £1.58   **18.** 20   **19.** 280   **20.** 120°

21. 36   **22.** false   **23.** 8   **24.** $\frac{3}{8}$

25. 8

*Page 71 **Mental Arithmetic Test 2***

1. 9   **2.** 184   **3.** 0.75   **4.** 2.4

5. 50p, 10p, 5p, 2p   **6.** £17.97   **7.** 150 mm   **8.** 240

9. 30   **10.** 56   **11.** 29p   **12.** 7.5

13. 17:30   **14.** 46°   **15.** 7 cm   **16.** £18.22

17. £2.04   **18.** 8:25   **19.** 60   **20.** 4000 mm

21. −4   **22.** 1.25   **23.** 4950   **24.** $\frac{3}{6}$

25. 38p

*Page 72 **A long time ago! 1***

Exercise

2. (a) 1472   (b) 2562   (c) 4144   (d) 38 484   (e) 225 568   (f) 4 791 773

   (g) 39 720   (h) 82 449

UNIT 2

*Page 74 **Exercise 1M***

1. Rugby   **2.** Brazil   **3.** Shirt   **4.** Apricot

*Page 75 **Exercise 2M***

1. $\frac{5}{8}$ **2.** $\frac{3}{7}$ **3.** $\frac{1}{8}$ **4.** $\frac{1}{8}$ **5.** $\frac{9}{10}$ **6.** $\frac{1}{4}$ **7.** $\frac{1}{6}$

8. $\frac{3}{4}$ **9.** $\frac{1}{10}$ **11.** $\frac{17}{20}$ **12.** $\frac{5}{12}$ **13.** $\frac{2}{21}$ **14.** $\frac{31}{40}$ **15.** $\frac{11}{90}$

16. $\frac{5}{24}$ **17.** $\frac{43}{60}$ **18.** $\frac{59}{63}$ **19.** $\frac{29}{45}$ **20.** $\frac{1}{30}$

21. (a) $\dfrac{8}{15}$ (b) $\dfrac{7}{15}$

22. (a) $\dfrac{1}{3}$ (b) $\dfrac{2}{3}$ (c) $\dfrac{7}{12}$

23. (a) $\dfrac{11}{12}$ (b) $\dfrac{3}{20}$ (c) $\dfrac{2}{15}$

Page 77   **Exercise 3M**

1. (a) $2\dfrac{2}{3}$ (b) $1\dfrac{6}{7}$ (c) $2\dfrac{2}{5}$ (d) $1\dfrac{8}{9}$ (e) $7\dfrac{3}{10}$

2. 31

3. (a) $\dfrac{13}{4}$ (b) $\dfrac{31}{7}$ (c) $\dfrac{14}{5}$ (d) $\dfrac{41}{5}$ (e) $\dfrac{67}{9}$

4. $2\dfrac{1}{12}$ **5.** $2\dfrac{7}{15}$ **6.** $1\dfrac{5}{8}$ **7.** $1\dfrac{5}{12}$ **8.** $4\dfrac{7}{20}$

9. $1\dfrac{19}{24}$ **10.** $1\dfrac{7}{10}$ **11.** $3\dfrac{37}{40}$ **12.** $1\dfrac{11}{20}$ **13.** $1\dfrac{29}{40}$

14. $4\dfrac{11}{12}$ **15.** $1\dfrac{2}{3}$ **16.** $6\dfrac{11}{15}$ m   **17.** $\dfrac{8}{15}$ **18.** $\dfrac{19}{30}$

19. $1\dfrac{11}{12}$ **20.** Many answers, eg. $\dfrac{1}{2}+\dfrac{4}{8}, \dfrac{1}{5}+\dfrac{8}{10}$, etc.

Page 78   **Exercise 4M**

2. (a) $\dfrac{12}{35}$ (b) $\dfrac{5}{72}$ (c) $\dfrac{1}{36}$ (d) $\dfrac{1}{40}$ (e) $\dfrac{1}{6}$ (f) $\dfrac{2}{11}$

    (g) $\dfrac{1}{18}$ (h) $\dfrac{1}{2}$ (i) $\dfrac{1}{15}$ (j) $\dfrac{7}{10}$ (k) $\dfrac{2}{9}$ (l) $\dfrac{2}{3}$

3. (a) $\dfrac{5}{12}$ cm²   (b) $\dfrac{1}{5}$ cm²   (c) $\dfrac{37}{60}$ cm²

4. $\dfrac{7}{10}$

5. (a) 8   (b) 4   (c) 15   (d) 6   (e) $4\dfrac{1}{2}$ (f) $1\dfrac{1}{2}$

    (g) $3\dfrac{1}{2}$ (h) $2\dfrac{1}{4}$

6. $\dfrac{1}{10}$

Page 79   **Exercise 4E**

1. (a) $1\dfrac{2}{3}$ (b) $1\dfrac{1}{5}$ (c) $\dfrac{3}{4}$ (d) $2\dfrac{3}{4}$ (e) 2   (f) $3\dfrac{1}{3}$

    (g) $4\dfrac{7}{8}$ (h) $7\dfrac{1}{2}$

2. $\dfrac{3}{16}$

3. (a) 7   (b) $13\dfrac{1}{2}$ (c) $5\dfrac{5}{9}$

4. 24

5. (a) $\dfrac{mn}{12}$ (b) $\dfrac{n^2}{25}$ (c) $\dfrac{6n^2}{63} = \dfrac{2n^2}{21}$ (d) $\dfrac{24mn}{72} = \dfrac{mn}{3}$

6. $\dfrac{4}{7}\,\text{cm}^2$ **7.** $1\dfrac{1}{5}$

Page 80   *Exercise 5M*

1. (a) $\dfrac{3}{4} \times \dfrac{5}{4} = \dfrac{15}{16}$ (b) $\dfrac{5}{8} \times \dfrac{3}{2} = \dfrac{15}{16}$ (c) $\dfrac{7}{10} \times \dfrac{5}{4} = \dfrac{35}{40} = \dfrac{7}{8}$

2. (a) $\dfrac{21}{40}$ (b) $1\dfrac{1}{9}$ (c) $1\dfrac{1}{9}$ (d) $1\dfrac{7}{20}$ (e) $\dfrac{3}{4}$ (f) $\dfrac{32}{35}$

    (g) $\dfrac{7}{20}$ (h) $\dfrac{3}{16}$

3. (a) $\dfrac{7}{9}$ (b) $\dfrac{7}{9}$ (c) $\dfrac{2}{7}$

4. $\dfrac{9}{10} \div \dfrac{3}{8} = 2\dfrac{2}{5}$ so 2 bottles filled completely

5. $\dfrac{11}{21}$ **6.** $5\dfrac{1}{3}$ **7.** $\dfrac{5}{8}\,\text{cm}$ **9.** $\dfrac{1}{4}$

Page 81   *Exercise 5E*

1. (a) $\dfrac{5}{2} \div \dfrac{21}{5} = \dfrac{5}{2} \times \dfrac{5}{21} = \dfrac{25}{42}$ (b) $\dfrac{11}{4} \div \dfrac{15}{8} = \dfrac{11}{4} \times \dfrac{8}{15} = \dfrac{88}{60} = \dfrac{22}{15} = 1\dfrac{7}{15}$

    (c) $\dfrac{11}{3} \div \dfrac{3}{2} = \dfrac{11}{3} \times \dfrac{2}{3} = \dfrac{22}{9} = 2\dfrac{4}{9}$

2. (a) $\dfrac{21}{40}$ (b) $1\dfrac{3}{5}$ (c) $\dfrac{28}{45}$ (d) $4\dfrac{14}{39}$ (e) $1\dfrac{64}{81}$ (f) $\dfrac{19}{27}$

3. 33   **4.** 12   **5.** $1\dfrac{68}{121}$ **6.** $1\dfrac{1}{15}$ hours

Page 82   *Need more practice with fractions?*

1. $\dfrac{6}{15}, \dfrac{14}{35}, \dfrac{10}{25}, \dfrac{22}{55}$

2. (a) $\dfrac{39}{40}$ (b) $\dfrac{16}{35}$ (c) $\dfrac{23}{36}$ (d) $\dfrac{23}{24}$ (e) $\dfrac{23}{70}$ (f) $\dfrac{29}{72}$

    (g) $\dfrac{19}{28}$ (h) $\dfrac{1}{4}$

3. (a) $\dfrac{1}{2}$　　(b) $\dfrac{3}{4}$　　(c) $\dfrac{1}{8}$

4. $\dfrac{5}{8} \times \dfrac{7}{9} = \dfrac{35}{72}$　　**5.** 35　　**6.** 35 litres

7. (a) $\dfrac{5}{18}$　　(b) $6\dfrac{2}{3}$　　(c) $\dfrac{80}{81}$　　(d) $\dfrac{24}{35}$　　(e) $\dfrac{4}{27}$　　(f) $\dfrac{3}{4}$

　　(g) $\dfrac{15}{32}$　　(h) $\dfrac{12}{55}$

8. 49

Page 83　Extension questions with fractions

1. (a) $9\dfrac{4}{5}$　　(b) 12　　(c) $2\dfrac{4}{5}$　　(d) $1\dfrac{23}{28}$　　(e) $\dfrac{16}{39}$　　(f) $1\dfrac{13}{15}$

2. (a) 12　　(b) 9

3. $\dfrac{11}{30}$ m　　　　**4.** 300 ml

5. (a) 28 000 gallons　　(b) 16 800 gallons

6. (a) £36 000　　(b) £49 500

7. $5\dfrac{11}{12}$ km　　**8.** $49\dfrac{3}{4}$　　**9.** $\dfrac{1}{14}$ of a pint　　**10.** (b) $\dfrac{1}{2} + \dfrac{1}{3} + \dfrac{1}{6}$

Page 85　Exercise 1M

1. 0.35　　**2.** $\dfrac{15}{100} = 0.15$　　**3.** $\dfrac{8}{10} = 0.8$　　**4.** $\dfrac{1}{4} = 0.25$　　**5.** $\dfrac{6}{10} = 0.6$

6. $\dfrac{16}{100} = 0.16$　　**7.** 0.55　　**8.** 0.4　　**9.** 0.28　　**10.** 0.75

11. 0.85　　**12.** 0.92　　**13.** 0.76　　**14.** 0.75　　**15.** 0.6

16. 0.25　　**17.** 0.01 cm²

18. (a) $0.3, \dfrac{9}{25}, \dfrac{8}{20}$　　(b) $\dfrac{3}{5}, 0.7, \dfrac{3}{4}$　　(c) $0.7, \dfrac{12}{16}, \dfrac{4}{5}$　　(d) $\dfrac{1}{20}, 0.15, \dfrac{1}{5}$

19. 0.001111111

20. (a) 0.019　　(b) 0.008　　(c) 0.136　　(d) 0.75　　(e) 0.075

　　(f) 0.028　　(g) 0.25　　(h) 0.178　　(i) 0.012　　(j) 0.0173

Page 86　Exercise 2M

1. $\dfrac{3}{10}$　　**2.** $\dfrac{7}{10}$　　**3.** $\dfrac{1}{100}$　　**4.** $\dfrac{9}{100}$　　**5.** $\dfrac{13}{100}$

24

6. $\dfrac{51}{100}$ **7.** $\dfrac{69}{100}$ **8.** $\dfrac{9}{10}$ **9.** $\dfrac{23}{100}$ **10.** $\dfrac{37}{100}$

11. $\dfrac{89}{100}$ **12.** $2\dfrac{3}{10}$ **13.** $4\dfrac{73}{100}$ **14.** $5\dfrac{1}{100}$ **15.** $6\dfrac{7}{10}$

16. Same amount   **17.** $\dfrac{4}{5}$ **18.** $\dfrac{1}{20}$ **19.** $\dfrac{2}{25}$ **20.** $\dfrac{1}{4}$

21. $\dfrac{6}{25}$ **22.** $\dfrac{1}{50}$ **23.** $\dfrac{8}{25}$ **24.** $\dfrac{9}{50}$ **25.** $3\dfrac{1}{5}$

26. $6\dfrac{1}{25}$ **27.** $7\dfrac{3}{25}$ **28.** $3\dfrac{3}{4}$ **29.** $8\dfrac{3}{5}$ **30.** $2\dfrac{19}{20}$

31. $4\dfrac{9}{25}$ **32.** $1.65\,\text{kg} = 1\dfrac{13}{20}\,\text{kg}$

Page 87   **Exercise 3M**

1. (a) $\dfrac{2}{5}$ (b) $\dfrac{7}{100}$ (c) $\dfrac{11}{50}$ (d) $\dfrac{4}{5}$ (e) $\dfrac{1}{20}$ (f) $\dfrac{89}{100}$

    (g) $\dfrac{1}{10}$ (h) $\dfrac{7}{25}$ (i) $\dfrac{1}{25}$ (j) $\dfrac{7}{20}$

2. (a) 45%   (b) $\dfrac{12}{100} = 12\%$ (c) $\dfrac{38}{100} = 38\%$

3. (a) 85%   (b) 52%   (c) 92%

4. $\dfrac{3}{20}$ **5.** $\dfrac{16}{25}$ **6.** 4%   **7.** 80%

8. (a) true   (b) false   (c) true   (d) false   (e) true   (f) true

9. $\dfrac{37}{50}, \dfrac{3}{4}, \dfrac{39}{50}$

10. (a) $\dfrac{7}{20} < 0.4$ (b) $0.22 < \dfrac{6}{25}$ (c) $32\% = \dfrac{16}{50}$ (d) $83\% < \dfrac{21}{25}$

    (e) $3\dfrac{1}{4} < 3.27$ (f) $7\% < 0.7$

Page 88   **Exercise 4M**

1. (a) 37%   (b) 17%   (c) 3%   (d) 40%

2. (a) 0.52 (b) 0.8 (c) 1.3 (d) 2.4

3.

$\dfrac{3}{10}$	0.3	30%
$\dfrac{11}{20}$	0.55	55%
$\dfrac{3}{25}$	0.12	12%
$\dfrac{1}{20}$	0.05	5%
$\dfrac{12}{25}$	0.48	48%
$\dfrac{11}{25}$	0.44	44%
$\dfrac{7}{25}$	0.28	28%

4. $\dfrac{17}{25}$, 70%, $\dfrac{18}{25}$, 0.73, $\dfrac{3}{4}$

5. (a) MATHS IS NOT HARD

   (b) DECIMALS MAKE SENSE

   (c) I CAN SOLVE PROBLEMS

Page 89 *Need more practice with fractions, decimals, percentages?*

1. $\dfrac{7}{20}$, $\dfrac{21}{60}$

2. (a) $\dfrac{3}{5}$ (b) 40% **3.** $0.6 = \dfrac{6}{10} = \dfrac{60}{100} = 60\%$

4. (a) 0.024 (b) 0.09 (c) 0.09 (d) 0.75 (e) 0.76

5. (a) false (b) false (c) true (d) true (e) true (f) true

6. $\dfrac{32}{100} = 0.32$ not 0.032 **7.** 18%

Page 90 *Extension questions with fractions, decimals, percentages*

1. (a) 29.2% (b) 4.6% (c) 69.6% (d) 2.95% (e) 95.2%

2. $\dfrac{412}{800}$, $\dfrac{21}{40}$, $\dfrac{11}{20}$, $\dfrac{139}{250}$, 56%

3. (a) Alexis and Shun (b) Hunter by 2.5%

4. $\dfrac{150}{450} = \dfrac{1}{3} = 33\dfrac{1}{3}\%$ **5.** $9\overline{)5.^{5}0^{5}0}$ $0.55\ldots$ **6.** $0.5\dot{7}$ **7.** 37.45%

Page 91 *Investigation − Escape*

(a) 3 prisoners; 1, 4, 9 (b) 10 prisoners; 1, 4, 9, 16, 25, 36, 49, 64, 81, 100 (c) 31 prisoners

Page 93 **Exercise 1M**

¹P	A	²P	E	³R		⁴F	A	R
L		I		E		O		
⁵A	O	L		⁶A	U	R	A	L
S		O		D		M		
T		⁷T	R	I	B	U	T	E
E				N		L		
⁸R	E	⁹P	U	G	N	A	N	¹⁰T
E		A						A
¹¹D	E	R		¹²B	A	C	O	N

Page 95 **Exercise 3M**

1. (a) (4, 2)   (b) (8, 8)   (c) (3, 10)

2. (a) (7, 7), (4, 6)   (b) (5, 11), (3, 10)   (c) (7, 3) (4, 2)   (d) (9, 0) (9, 2)

   (e) (11, 7) $(10\frac{1}{2}, 9\frac{1}{2})$

3. (a) (1, 1)   (b) (6, 5)   (c) (6, 2)

4. P: (3, 6), (7, 2), (1, 2)   Q: (12, 4), (8, 6), (12, 12)

5. (a) (−4, 0)   (b) (1, 0)   (c) (3, 1)   (d) (2, 1)

6. (4, 3), (1, 5), (3, 1), (2, 7), (5, 6), (0, 2), (0, 4), (1, 4), (1, 6), (4, 2), (4, 4), (5, 4)

7. (a) (7, 3), (1, 5), (5, 1), (3, 7), (5, 3), (3, 5), (8, 0), (0, 8) etc.

   (b) Any points on the line $x + y = 8$

8. (d) (7, 5)   (f) (6, 6)   (g) (0, 1)

Page 98 **Exercise 1M**

1. A: $y = 7$, B: $y = 3$, C: $y = 1\frac{1}{2}$ **2.** P: $x = 5$, Q: $x = 3$, R: $x = -3$

3. A: $x = 3$, B: $y = 2$, C: $y = -2$ **4.** A: $y = 2$, B: $x = 4$, C: $x = -2$

5. (a) (3, 2)   (b) (1, 5)   (c) (7, 3)

6. (a) $x = 1$ (b) $y = 7$ (c) $x = 2$ (d) $x = 7$ (e) $x = 3$ (f) $y = 3$

   (g) $y = 5$ (h) $y = 0$

Page 100   **Exercise 1E**

1. $(1, 3), (2, 4) (3, 5)$ etc. $y = x + 2$

2. $(1, 0), (2, 1), (3, 2)$ etc. $y = x - 1$

3. $y = x + 4$

4. $x + y = 6$ (or $y = 6 - x$)

5. $x + y = 4$

6. $y = 2x$

7. $y = 3 + x$ not $3 - x$

8. (a) $y = 2x + 1$ (b) $y = 2x - 4$ (c) $y = 11$ (d) $y = x - 5$

9. $y = \dfrac{1}{2}x + 8$

10. $y = 3x - 27$

11. $x + y = 7$ (or $y = 7 - x$)

12. P because the coordinates fit the equation

Page 102   **Exercise 2M**

1. $(2, 5) (3, 6) (4, 7)$

2. $(2, 7) (3, 8) (4, 9)$

3. $(2, -2) (3, -1) (4, 0)$

4. $(0, -2) (2, 2) (4, 6)$

5. $(1, 5) (3, 3) (5, 1) (6, 0)$

6. $(0, 2) (1, 5) (2, 8)$

7. $(2, 3)$

8. (c) $(0, 3) (6, 9) (8, 7)$

Page 103   **Exercise 3M**

1. 1

2. $\dfrac{1}{2}$

3. 3

4. 1

5. $\dfrac{1}{3}$

6. $\dfrac{3}{4}$

7. A: 4, B: $\dfrac{3}{2}$, C: $\dfrac{1}{4}$

8. 2 units

9. 9 units

10. -3

11. $-\dfrac{1}{2}$

12. -1

13. Each line sloping downwards from left to right

14. $\dfrac{5}{6} = \dfrac{35}{42}$ and $-\dfrac{6}{7} = -\dfrac{36}{42}$ so line B steeper

15. A: -2, B: -5, C: $-\dfrac{1}{3}$, D: $\dfrac{3}{2}$, E: $\dfrac{5}{2}$

Page 105   **Need more practice with coordinates and straight line graphs?**

2. No. $y = 3$

3. $(2, 5) (3, 4) (4, 3)$

5. A: $x = 6$, B: $y = x - 2$, C: $y = -x$, D: $y = 4x$

6. Line P because $\dfrac{1}{2} > \dfrac{1}{3}$

7. A: -5, B: $\dfrac{2}{3}$, C: 3, D: $-\dfrac{1}{2}$

Page 107   **Extension questions with coordinates and straight line graphs?**

1. (a) P: $y = 2x + 4$, Q: $y = x - 5$ (b) P: 2, Q: 1 (c) gradient = coefficient of x

2. $y =$ a constant

28

3. Line C steeper because $\dfrac{16}{25} = 64\%$ ($>62\%$ and $\dfrac{3}{5} = 60\%$)

4. (a) A: $y = 3x + 8$, grad $= 3$, B: $y = -4x + 11$ and grad $= -4$, C: $y = -2x + 13$ and grad $= -2$

(b) 5

5. $y = 3x + c$ **6.** $y = -6x + 2$ steepest ($6 > 4$ and 5)   **8.** gradient not defined

Page 110 *Spot the mistakes 3*

1. No common denominator needed, must multiply the denominators.

2. Change to improper fractions first.

3. $\dfrac{19}{100} = 0.19$ **4.** Correct   **5.** Correct   **6.** $\dfrac{13}{20} = \dfrac{65}{100} = 0.65$

7. Line sloping downwards so gradient $= -2$

8. Correct.

9. Only multiply numerator by 3 not the denominator.

10. $y = 1$ has gradient equal to zero.

Page 111 *Exercise 1M*

1. (a) $140\,\text{cm}^2$ (b) $132\,\text{cm}^2$ (c) $90\,\text{cm}^2$ (d) $123\,\text{cm}^2$

2. $48\,\text{cm}$

3. (a) 200, 150   (b) 150

4. $180\,\text{cm}$ **5.** $48\,\text{m}^2$ **6.** $2700\,\text{cm}^2$ **7.** 10   **8.** $71.25\,\text{m}^2$ **9.** 3

Page 113 *Exercise 2M*

1. (All cm²)

(a) 16   (b) 10.5   (c) 80   (d) 54   (e) 35   (f) 22.5

(g) 30   (h) 96

2.

6	8	14	6	7
4	9	20	30	30
12	36	140	90	105

3. 16 cm

4. (a) 4.5   (b) 4.5   (c) 3   (d) 3

5. (a) $168\,\text{cm}^2$ (b) $90\,\text{cm}^2$ (c) $180\,\text{cm}^2$

6. (a) $88\,\text{cm}^2$ (b) $109\,\text{cm}^2$

7. $99\,m^2$ **8.** 9 cm   **9.** $8000\,cm^2$ or $0.8\,m^2$

10. (a) $39\,cm^2$ (b) $112\,cm^2$

Page 116   *Exercise 2E*

1. (a) $10\frac{1}{2}$ (b) $12\frac{1}{2}$ (c) 14

2. (a) 4   (b) $10\frac{1}{2}$ **3.** (a) $11\frac{1}{2}$ (b) 20

4. (a) 30   (b) 43

5. $\frac{3}{4}\,cm^2$ **6.** $\frac{1}{3}$

Page 117   *Exercise 3M*

1. $30\,cm^2$ **2.** $135\,cm^2$ **3.** $150\,cm^2$ **4.** $27\,cm^2$ **5.** $85.5\,cm^2$

6. $32\,cm^2$ **7.** 4.5 cm   **8.** £108 000   **9.** 32 cm   **10.** 7 cm

Page 118   *Need more practice with areas?*

1. (a) $14\,cm^2$ (b) $39\,cm^2$ **2.** $204\,cm^2$

3. Length = 12 cm, width = 8 cm, height = 3 cm

4. 50   **5.** $150\,cm^2$ **6.** $19.5\,m^2$ **7.** $10\,000\,cm^2$

Page 119   *Extension questions with areas?*

1. 40 hectares   **2.** 140 m   **3.** 25   **4.** £28 000   **5.** 810 m

6. (a) $63\,m^2$ (b) £63.20

7. $195\,m^2$, £3.90

8. (a) 4 cm   (b) 3 cm

9. 2 sides must add up to 30 cm

10. £3575   **11.** 14 cm   **12.** $\frac{5}{9}\,cm$ **13.** 9.11 cm ($= \sqrt{83}$)

14. (All in cm^2) A = 2, B = 6, C = 1, D = 3, E = 3, F = 3, G = 3, H = 2, I = 4

Page 122   *Investigation*

Part D   Largest area is a square of side 8 cm

Part E   Square of side 25 cm. Area is $625\,cm^2$

Page 123 **Exercise 1M**

1. 35°   **2.** 38°   **3.** 42°   **4.** 133°   **5.** 112°   **6.** 23°

7. 112°   **8.** 35°   **9.** $94\frac{1}{2}°$ **10.** 121°   **11.** 100°   **12.** 66°

13. 103°   **14.** 24°   **15.** $45\frac{1}{2}°$ **16.** 65°

18. (a) acute   (b) acute   (c) obtuse   (d) obtuse   (e) acute   (f) acute

(g) reflex   (h) obtuse   (i) reflex   (j) obtuse

Page 124 **Exercise 2M**

1. $f = 66°$ **2.** $g = 105°$ **3.** $h = 86°$

4. $i = 66°$ **5.** $j = 120°$ **6.** $k = 162°$

7. $l = 48°$ **8.** $m = 70°, n = 40°$ **9.** $p = 45°$

10. $q = 60°$ **11.** $r = 72°$ **12.** $s = 65°, t = 65°, u = 50°$

13. $a = 28°$ **14.** $b = 286°$ **15.** $c = 62°, d = 56°$

16. $e = 38°, f = 109°$ **17.** $g = 40°$ **18.** $h = 34°$

19. $i = 72°, j = 36°$ **20.** $2k = 36°, 3k = 54°, 5k = 90°$ **21.** Slab B

22. $P = 18°$

Page 127 **Exercise 3M**

1. $a = 53°, b = 53°, c = 127°$ **2.** $d = 116°, e = 116°, f = 64°$

3. $g = 125°, h = 125°, i = 55°$ **4.** $j = 131°, k = 49°, l = 131°$

5. $m = 54°, n = 54°$ **6.** $p = 74°, q = 135°, r = 45°$

7. $s = 37°, t = 143°, u = 45°$ **8.** $v = 69°, w = 111°, x = 78°, y = 102°$

9. $a = 38°, b = 52°$ **10.** $c = 70°, d = 48°, e = 62°$

11. $f = 28°, g = 115°, h = 37°$ **12.** $i = 70°, j = 32°, k = 78°$

13. $a = 135°$ **14.** $x = 30°$

15. $m = 65°, n = 130°$

Page 128 **Exercise 4M**

1. $a = 94°$ **2.** $b = 107°$ **3.** $c = 117°$ **4.** $2d = 96°, 3d = 144°$

5. $e = 86°$ **6.** $f = 125°$ **7.** $g = 125°, h = 55°$ **8.** $i = 44°$

9. 29°   **10.** 52°   **11.** 15°

Page 129 **Need more practice with angles?**

1. $a = 91°$

2. $b = 83°$

3. $c = 73°$

4. $d = 128°$

5. $e = 122°$

6. $f = 68°$, $g = 115°$

7. $h = 78°$

8. $i = 65°$

9. $j = 119°$

10. $k = 112°$

11. $l = 84°$

12. $m = 98°$

13. $n = 20°$, $4n = 80°$

14. $p = 40°$, $2p = 80°$

15. $q = 24°$

17. $70°$, $70°$, $40°$

18. $24°$, $48°$, $96°$, $192°$

Page 131 **Extension questions with angles**

1. $r = 71°$

2. $s = 50°$

3. $t = 34°$

4. $u = 92°$

5. $v = 72°$

6. $w = 46°$

7. $l = 36°$, $2l = 72°$

8. $m = 30°$, $2m = 60°$, $m + 120° = 150°$, $n = 90°$

9. $p = 68°$

10. $q = 115°$, $q - 50° = 65°$, $q - 70° = 45°$, $r = 20°$

11. $C\hat{B}E = B\hat{C}E = 70°$

12. $x = 36°$

13. (a) $2 \times 180° = 360°$ (b) $3 \times 180° = 540°$

14. $122°$

Page 132 **Spot the mistakes 4**

1. area of $\Delta = \dfrac{1}{2} \times 4 \times 6$ not $\dfrac{1}{2} \times 10 \times 6$

2. must use a perpendicular height (not given)

3. $A\hat{E}B = 66°$ not $48°$

4. Correct

5. Length $= \sqrt{36} = 6\,\text{cm}$

6. Use base and height of 5 cm and 12 cm not 5 cm and 13 cm

7. Correct

8. $A\hat{B}C = 80°$ not $100°$ (alternate angles are equal)

9. height is 12 cm not 6 cm

10. 16.7 boxes so 17 boxes required not 16

Page 136 **Applying mathematics 2**

1. 13.50

2. (a) $25\,\text{cm}^2$ (b) 80 cm

3. 438

4. £187.68

5. £1705.50

6.

11	8	5	10
2	13	16	3
14	1	4	15
7	12	9	6

7. He is correct

8. 64 g

9. 44 days

10. $\dfrac{11}{96}\,\text{m}^2$

Page 138   Unit 2 Mixed Review

Part one

1. (a) $\dfrac{2}{3}$ (b) $\dfrac{5}{8}$ (c) $\dfrac{37}{120}$ **2.** Isosceles   **3.** (2, 0) (3, 1) (4, 2)

4.

$\dfrac{4}{25}$	0.16	16%
$\dfrac{7}{10}$	0.7	70%
$\dfrac{3}{20}$	0.15	15%

5. $\dfrac{19}{28}$ **6.** 12   **7.** (a) 30   (b) 6

8. $\dfrac{1}{4}$ **9.** $m = 53°, n = 56°$ **10.** 94 tonnes   **11.** (a) $9\dfrac{1}{6}$ (b) $\dfrac{12}{31}$ (c) $1\dfrac{47}{55}$

Part two

1. (a) What do you call a man with a spade on his head? Doug   (b) without, Douglas
(c) What do you call a dead parrot? Polygon

2. (a) $x = 2$ (b) $y = 4$ (c) $y = x$

3. 0.57   **4.** 20 cm   **5.** Not correct, $2\dfrac{3}{4} = \dfrac{11}{4} = \dfrac{33}{12} < \dfrac{17}{6} = \dfrac{34}{12}$

6. Square longer by 2 cm   **7.** P is steeper (grad P $= -2$, grad Q $= 1.5$)

8. 15 (accept 16)   **9.** 4 (accept $3\dfrac{3}{4}$)

10. £29 900   **11.** Sophia correct because gradient $= 2$

Page 142   Puzzles and Problems 2

Crossnumbers

Part A

¹5	4	²2		³1	5	1	⁴2
7		3		⁵5	6		1
	⁶4	5	⁷7	1		⁸9	6
⁹7	3		4		¹⁰3	1	
9		¹¹2	8	4		8	¹²5
9		5		¹³5	¹⁴8		8
¹⁵7	¹⁶2	6	8		¹⁷2	6	9
	1		¹⁸2	1	1		3

Part B

¹9	9	²0		³9	9	1	⁴0
2		2		⁵5	6		0
	⁶4	6	⁷8	4		⁸0	1
⁹8	6		2		¹⁰6	0	
2		¹¹8	0	8		3	¹²2
4		5		¹³9	¹⁴7		3
¹⁵2	¹⁶3	4	3		¹⁷3	5	3
	7		¹⁸2	2	5		1

Part C

¹1	6	²9	▪	³5	2	0	⁴0
8	▪	2	⁵2	1	▪		6
▪	⁶1	2	⁷3	4	▪	⁸1	6
⁹3	6	▪	6	▪	¹⁰8	1	▪
6	▪	¹¹7	2	0		0	¹²2
0	▪	5	▪	¹³1	¹⁴6		3
¹⁵0	¹⁶2	3	4	▪	¹⁷0	0	4
▪	8	▪	¹⁸1	0	0	▪	5

Part D

¹8	2	²8	▪	³9	0	0	⁴0
1	▪	3	⁵3	6	▪		0
▪	⁶1	2	⁷1	0	▪	⁸8	4
⁹2	4	▪	0	▪	¹⁰6	6	▪
2	▪	¹¹0	0	5		4	¹²4
4	▪	9	▪	¹³6	¹⁴4		4
¹⁵1	¹⁶9	9	8	▪	¹⁷1	4	4
▪	0	▪	¹⁸3	7	1	▪	4

Page 144   Mental Arithmetic Test 1

1. £9 each   **2.** 60%   **3.** 5   **4.** £1.66   **5.** 17 012

6. 225 cm   **7.** 110 min   **8.** 0.03   **9.** 282   **10.** £4.20

11. 420 km   **12.** 50, 5, 5, 1, 1 or 20, 20, 10, 10, 2   **13.** 5×9, 3×15, 1×45

14. 13   **15.** 100 000   **16.** £8.97   **17.** £36   **18.** £3.35

19. 5.15   **20.** 24 cm   **21.** 60%   **22.** 15p   **23.** 16 days

24. 7   **25.** £100

Page 145   Mental Arithmetic Test 2

1. 20, 10, 10, 2 or 20, 20, 1, 1   **2.** £3.02   **3.** 12 kg   **4.** 54

5. £1.88   **6.** 60°   **7.** 30   **8.** £11.05   **9.** 0.3 m

10. £5.25   **11.** 5%   **12.** 32%   **13.** 80   **14.** 50°

15. £80 000   **16.** 47   **17.** 26   **18.** 17   **19.** 10 000 cm²

20. Wednesday   **21.** False   **22.** 180   **23.** 3030   **24.** 81, 100, 121 etc.

25. 5.15

UNIT 3

Page 147   Exercise 1M

1. Prime numbers: 2, 3, 5, 7, 11, 13, 17, 19, 23, 29, 31, 37, 41, 43, 47, 53, 59, 61, 67, 71, 73, 79, 83, 89, 97

2. All the prime numbers in columns A and B can written as the sum of two square numbers.

3. The pattern does continue.

4. (a) 17, 29   (b) 41, 67   (c) 2, 71

5. 2   **6.** $2 + 3 = 5$, $2 + 5 = 7$, $2 + 17 = 19$ (many others)

Page 148   **Exercise 2M**

1. 24   **2.** 3 and 7, 7 and 11, 13 and 17 (many others)   **3.** 3 + 19, 5 + 17, 11 + 11

4. (a) 11, 31, 41, 61, 71   (b) 7, 17, 37, 47, 67, 97   (c) Divisible by 5

5. True   **6.** 48 cm   **7.** 3 + 5 + 11 = 19 (+ others)

8. (a) Yes   (b) Yes   (c) Yes   (d) Yes

   (e) It appears to give a prime number every time but this is not a proof.

Page 149   **Exercise 3M**

1. (a) 5   (b) 7   (c) 2 and 4

2. 37, 74, 111, 148

3. (a) 1, 2, 3, 4, 6, 8, 12, 24   (b) 1, 2, 3, 4, 5, 6, 10, 12, 15, 20, 30, 60   (c) 1, 5, 17, 85

4. 6, 8   **5.** 18, 12   **6.** 12, 24, 36   **7.** 4

8. (a) 24, 60, 120   (b) 4, 6

9. 30, 60, 90

10. (a)
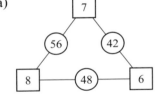

(b)
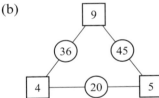

(c)
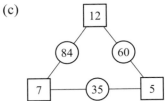

(d)
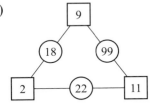

11. (a) 6   (b) 16   **12.** eg.101

Page 151   **Exercise 4M**

1. (a) 30, 2 − 15, 3 − 5   (b) 70, 5 − 14, 2 − 7   (c) 100, 10 − 10, 2 − 5 − 2 − 5

2. (a) $2 \times 3 \times 5$ (b) $2 \times 5 \times 7$ (c) $2 \times 2 \times 5 \times 5$

3. Both trees are correct because they give the same answer

4. (a) $2 \times 2 \times 2 \times 5$ (b) $2 \times 2 \times 2 \times 3 \times 3$ (c) $2 \times 2 \times 2 \times 3 \times 5$

   (d) 29   (e) $2 \times 3 \times 5 \times 5$ (f) $2 \times 3 \times 17$

   (g) $2 \times 5 \times 5 \times 7$ (h) $2 \times 5 \times 5 \times 11$ (i) $2 \times 2 \times 3 \times 5 \times 5 \times 5$

(j) $2 \times 2 \times 2 \times 2 \times 2 \times 7 \times 11$

(k) $2 \times 2 \times 3 \times 5 \times 7 \times 11$ (l) $3 \times 5 \times 5 \times 7 \times 11 \times 17$

5. (a) $26 = 2 \times 13, 22 = 2 \times 11 , 312 = 2 \times 2 \times 2 \times 3 \times 13, 104 = 2 \times 2 \times 2 \times 13,$
$78 = 2 \times 3 \times 13$

(b) 26, 312, 104 and 78 divide into 312 because all their prime factors match some of the prime factors for 312.

Page 152   **Exercise 5M**

1. (a) 18   (b) 24   (c) 70   (d) 12   (e) 30   (f) 252

2. 12

3. (a) 6   (b) 11   (c) 9   (d) 6   (e) 12   (f) 10

4. (a) 6   (b) 40   (c) 11, 22 (+ others)   (d) 2, 5

5. 1.50 pm   **6.** 27p

Page 153   **Exercise 5E**

1. (a) 15   (b) 330   **2.** (b) 21   (c) 4095   **3.** (a) 66   (b) 18 018

4. (a) H.C.F. = 65, L.C.M. = 13 650   (b) H.C.F. = 45, L.C.M. = 1890

(c) H.C.F. = 195, L.C.M. = 64 350

5. $P = 187, Q = 357$

Page 154   **Exercise 6M**

1. (a) 25   (b) 14   (c) 181

2. (a) 4 + 9   (b) 9 + 64   (c) 4 + 36   (d) 81 + 100

(e) 25 + 100   (f) 16 + 81   (g) 25 + 49   (h) 49 + 64

4. (a) 64   (b) 81   (c) 169

5. (a) $1 + 3 + 5 = 9 = 3^2$

(b) $1 + 3 + 5 + 7 + 9 = 5^2, 1 + 3 + 5 + 7 + 9 + 11 = 6^2,$
$1 + 3 + 5 + 7 + 9 + 11 + 13 = 7^2$, etc

6. Correct

7. (a) 7   (b) 11   (c) 13

8. (a) 2, 4, 8, 16   (b) 2, 3, 7   (c) 3, 9, 15, 21   (d) 4, 9, 16, 64

9. (a) 16 − 9   (b) 81 − 1   (c) 100 − 16   (d) 400 − 100

(e) 49 − 4   (f) 36 − 4   (g) 64 − 25   (h) 121 − 16

10. (a) No   (b) No   (c) counter-examples in parts (a) and (b)

11. Yes

Page 156   ***Exercise 7M***

1. 1, 8, 27, 64, 125, 216, 343, 512, 729, 1000

2. $13 + 15 + 17 + 19 = 64 = 4^3$, $21 + 23 + 25 + 27 + 29 = 125 = 5^3$,
$31 + 33 + 35 + 37 + 39 + 41 = 216 = 6^3$

3. (a) -8 (b) -27 (c) -64 (d) -125
(e) the cube of a negative number is always negative

4. 125, 64

5. (a) 5   (b) 9   (c) 7   (d) 1

6. (a) 7   (b) 14   (c) $\sqrt{441} = 21$ (d) $\sqrt{10.89} = 3.3$

7. (a) 5   (b) 6

8. (a) 9   (b) 5   (c) 6

9. (a) 1   (b) 6   (c) 1

10. (a) -2 (b) -5 (c) -10 The cube root of a negative number is negative

Page 157   ***Satisfied Numbers*** [Other solutions are possible]

1.

	Number between 5 and 9	Square number	Prime number
Factor of 6	6	1	3
Even number	8	4	2
Odd number	7	9	5

2.

	Prime number	Multiple of 3	Factor of 16
Number greater than 5	7	9	8
Odd number	5	3	1
Even number	2	6	4

3. Many solutions

Page 158   ***Happy numbers***

The Happy numbers are:- 1, 7, 10, 13, 19, 23, 28, 31, 32, 44, 49, 68, 70, 79, 82, 86, 91, 94, 97, 100
Encourage pupils to find 'short cuts'. E.g. if 23 is happy, so is 32.

Page 159   ***Need more practice with properties of numbers?***

1. 8, 84   **2.** 6

3. (a) $2 \times 2 \times 3 \times 5$ (b) $2 \times 3 \times 5 \times 7$ (c) $2 \times 3 \times 5 \times 13$ (d) $2 \times 2 \times 2 \times 2 \times 7$

4. 31, 37   **5.** 5

6. (a) (i) d.s. = 6, factors = 8   (ii) d.s. = 12, factors = 12

7. 165 (+ others)   **8.** 3 lengths more   **9.** n is an even number

10. (a) 1 + 9   (b) 16 + 4 + 4   (c) 36 + 9 + 1 + 1   (d) 64 + 1 + 1

(e) 81 + 16 + 1   (f) 49 + 9 + 4 + 1   (g) 100 + 16 + 4   (h) 121 + 16 + 4

(i) 225 + 196 + 1 + 1

Page 160   *Extension questions with properties of numbers*

1. 198 (+ others)   **2.** 64 or 96   **3.** 210 (2 × 3 × 5 × 7) + others

4. 2520 ($2^3 \times 3^2 \times 5 \times 7$)   **5.** H.C.F. = 91, L.C.M. = 42 042

6. 3   **7.** 5   **8.** 16 m²   **9.** 293, 709, 1009 are prime.

10. (a) 7 hours 12 minutes 42 seconds

(b) 18 pages (17.3 actually)

Page 162   *Exercise 1M*

1. (a) 1044   (b) 1134   (c) 7488   (d) 6624   (e) 729   (f) 7712

(g) 32   (h) 34   (i) 37

2. (a) 544   (b) 325   (c) 24   (d) 1210

3. £62   **4.** 37   **5.** 23 × 54   **6.** 13   **7.** 14, 24p over

8. £5904   **9.** No, we need 12 more chairs   **10.** £24 480

Page 163   *Exercise 2M*

1. (a) 0.0032   (b) 4.63   (c) 2.44   (d) 30   (e) 1.386   (f) 0.1369

(g) 0.4   (h) 7.29   (i) 0.729

2. £2.65, £2.25   **3.** 13   **4.** £5.40, £13.50

5. (a) 32.5   (b) 3.25   (c) 0.325

6. £31.92   **7.** 0.01 is $\dfrac{1}{100}$ so 1 ÷ 0.01 = 100 so 3 ÷ 0.01 = 300

8. 46.16 ÷ 200 greater by 0.0004   **9.** True   **10.** 27.04 m²

Page 164   *Hidden words*

1. SOLEIL IS SUN IN FRENCH   **2.** BEAVERS CUT DOWN TREES

3. CAN YOU FIND THE HIDDEN WORDS   **4.** MY CAT CHASES ONLY MICE

Page 166 **Spot the mistakes 5**

1. Confused L.C.M. with H.C.F., L.C.M. = 90   **2.** $3^3 = 3 \times 3 \times 3$ not 3×3

3. $55 \div 17$ gives remainder 4 not 2   **4.** $0.072 = \dfrac{72}{1000}$ not $\dfrac{72}{100}$

5. correct   **6.** $(-3)^2 = 9$ not -9

7. L.C.M. $= 2 \times 2 \times 3 \times 7 \times 17 \times 3 = 4284$ **8.** $0.32 \times 0.6 = 0.192$ not 1.92

9. During 624×349, a mistake with 624×300 which equals $187\,200$ not $18\,720$.

10. correct

Page 169 **Exercise 1M**

1. (a) 26   (b) 27   (c) Nina by 1

2. (a) 7   (b) 6.5   (c) 6   (d) 6

3. (a) 2 modes; 7 and 12   (b) 3, 8 and 12

4. (a) 6   (b) 6.5

5. 66 or 5   **6.** 4.5; she wins   **7.** $-2°$ **8.** 3, 11

9. (a) False   (b) Possible   (c) Possible

10. 3

11. (a) 6   (b) 14

12. (a) 11, 11, 16, 16, 15   (b) 15

13. 3

Page 171 **Exercise 2M**

1. (a) Year 8: mean = 5.2, range = 5   (b)   Year 9: mean = 4.7, range = 5

2. (a) 71s   (b) 8s   (c) 78s   (d) 12s   (e) Helen

3. (a) mean = £18 000, median = £13 000, mode = £12 000

(b) mode because it is the lowest   (c) mean because it is the highest

4. (a) Year 7: median = 4, range = 6 and Year 11: median = 3, range = 7

5. (a) Olga: mean = £7420, median = £7500, range = £2800
Austin: mean = £6480, median = £6500, range = £1200
Mia: mean = £7200, median = £7200, range = £1200

(b) Maybe Olga (sold the most) or maybe Mia (more consistent sales and sold almost as much as Olga)

6. (a) 1.88 m   (b) 0.34 m   (c) 1.93 m   (d) 0.14 m   (e) Tipperton

7. (a) mean = 4.7 range = 9   (b) mean = 6 range = 10

Page 174   ***Exercise 2E***

1. 2.76   **2.** $\dfrac{(7 \times 0) + (12 \times 1) + (11 \times 2) + (10 \times 3)}{40} = \dfrac{64}{40} = 1.6$

3. Dice A greater by 0.19 (A mean = 3.64, B mean =3.45)

4. (a)

Goals	0	1	2	3	4	5
Frequency	4	8	6	2	3	2

(b) mean greater by 0.92
(mean = 1.92, mode = 1)

5. median greater by 0.6 (median = 3, mean = 2.4)

6. (a) 1   (b) 6   (c) 1.98   (d) 1.5

7. (a) 3.5   (b) 6   (c) increases from 3.5 to 4

Page 176   ***Need more practice with averages and range?***

1. No (boys mean = 14, class mean = 14.8)   **2.** 3, 6, 9, 11, 11

3. (a) 90   (b) 205   (c) 220   (d) 193

4. 3.3

5. He is telling the truth if he uses the median or mode (both equal 79 but the mean = 82)

6. 9

7. 2, 3, 3, 3 or 3, 3, 3, 11

8. The mode (modal shoe size) for the Freeman family is greater than the mode for the Davidson family but the range for the Freeman family is the same as the range for the Davidson family (i.e. they have the same spread). (Freeman mode = 5, Davidson mode = 4 and both ranges = 6)

Page 177   ***Extension questions with averages and range***

1. No (mean = 0.93)

2. Mei (159 trips) makes 33 more trips than Brody (126 trips)

3. (a) Class A : mean = 6.8, median = 7, mode = 7, range = 8
Class B : mean =6.7, '(to 1 d.p.)' median = 7, mode = 7, range = 4

(b) All averages similar but class B range smaller so results more consistent. Class B therefore did better.

4.

Mins late	0	2	5	8	11	12	23	25	27	31	33
No. of trains	2	3	1	2	4	1	1	3	1	1	1

(b) Correct if median or mode is used (mean = 13.6)

5. $n, n + 3, n + 4, n + 9, n + 9$

6. (a) mean = 9, median = 9, mode = 10, range = 5

(b) mean increases to 9.5, median and mode stay the same, range increases to 13

Page 180 **Exercise 1M**

1. (a) C   (b) D   (c) B   (d) A

2. (a) 40   (b) 10   (c) 40   (d) Belair

3. (a) Tallies in order : E = 10, M = 10, F = 4, N = 15, S = 6

(b) Neighbours   (c) 4

4. (a) 30   (b) Bungalow (from chart info)

(c) Flat (eg. cheaper to buy, less room required, etc)

5. Wheat production increased from 4 million tonnes to 14 million tonnes.
Rice production did not change.
Sugar cane increased to 2 million tonnes.
Cotton seed increased to 3 million tonnes.

Page 183 **Exercise 2M**

1. (a)

Stem	Leaf
1	5
2	3 7 8 9
3	2 5 6 8 9
4	0 1 2 5 6 7 8
5	1 2 3 4 9
6	5 6

(b) 51

2. (a) 49   (b) 17   (c) 56   (d) median greater (mean = 55.3)

3. (a) $A = 1, B = 2$ (b) 40.75

4. (a)

8:30 am Stem	Leaf
2	0 4 5 8
3	1 7 9
4	0 4 5 6
5	2 5 8 9
6	1 5 7 8
7	3 5

Key: 5|8 means 58 years old

7:45 pm Stem	Leaf
2	2 8 9
3	0 5 8
4	1 4 6 7 7
5	3 4 9 9
6	7
7	2

Key: 4|7 means 47 years old

(b) 8:30 am: median = 46, range = 55 and 7:45 pm: median = 46, range = 50

5.

Stem	Leaf
1	4 8
2	4 4 8
3	1 3 3 7 8
4	0 5 5 6 6 7 9
5	1 2 5 8
6	2 3 7

Key: 3|7 means 3.7

(a) 4.5   (b) 5.3

6. (a)

Stem	Leaf
3	5 5 6 6 6 8 9 9
4	0 0 1 3 3 4 5 5 5 6 8 8
5	2 6 6 9
6	3 8 8
7	2
8	
9	1

Key: 4|8 = 4.8 cm

(b) Lengths generally greater in pond A (higher median and more consistent with a lower range.)
Pond A: median = 5.8, range = 4.7
Pond B: median = 4.5, range = 5.6

(c) $\dfrac{5}{12}$

Page 185 ***Exercise 3M***

1. Yes. The pills did help to improve memory.

2. (a) 7   (b) 7   (c) 19

3. (a) Frequencies: 2, 4, 8, 8, 5, 3   (c) 23

4. (c) This time we have children and adults. In question 2 we had only children.

5. (a) Frequencies: 9, 8, 5, 3, 1, 1

(b)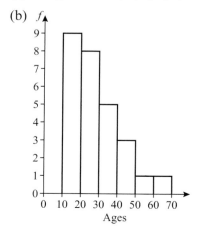

(c)

Stem	Leaf
1	1 1 2 3 3 3 5 7 7
2	0 0 0 2 4 4 9 9
3	2 4 4 5 8
4	1 5 5
5	4
6	3

Key: 4|5 means 45 years old

42

(d) 24

(e) Stem and leaf diagram – can still see the actual data values, eg. to find the median

(f) $\frac{1}{3}$ (g) $66\frac{2}{3}\%$ (h) the number of people decreases as the age increases.

6. Theory was not correct. Those who watched most TV did *better* in the tests than they did before. The results of the other group were neither better nor worse than before.

Page 188 **Exercise 4M**

1.
Method	car	walk	train	bus
Number of people	40	10	20	10

2. (a) 50   (b) 75

3. (a) USA   (b) Greece or USA   (c) 25

4. 150°

5. (a) 16 boys chose red, 12 girls chose red, John is wrong

(b) 20 boys chose blue, 15 girls chose blue, Tara is right

6. (a) £6   (b) £6   (c) £3   (d) £4   (e) £3   (f) £2

Page 190 **Exercise 5M**

1. (a) 36 g   (b) 1 g = 10°   (c) Oats 60°, Barley 90°, Sugar 30°, Rye 180°

2. 1 meal = 3°

3.
Programme	Angle
News	40°
Soap	100°
Comedy	80°
Drama	100°
Film	40°

4.
Sport	Angle
Rugby	75°
Football	105°
Tennis	60°
Squash	30°
Athletics	45°
Swimming	45°

5.
Sport	Angle
Maths	45°
English	45°
Science	54°
Humanities	36°
Arts	36°
Other	144°

6. (a) (i) 120   (ii) 135   (b) 18°   (c) 30

7. (a) Each present = 360° ÷ 60 = 6° so angle for 1–5 year-olds is 14 × 6 = 84°

(b) Use 84°, 102°, 66°, 60°, 48°

8. (a) $\frac{21}{40}$ (b) 189°   (c) 84

9. (a) $\frac{1}{3}$ (b) 30 children   (c) 18 children

Page 192 **Need more practice with displaying and interpreting data?**

1. (a) 8   (b) £4.50

2. (a) Frequencies: 1, 4, 3, 5, 7   (c) $80 < L \leqslant 100$ (d) 65.5   (e) Stem and leaf

3. Pigs weight has increased on high fibre diet

4. (a) 60% loss of farming land   (b) golf, walking, sports

    (c) loss of farming land used now for residential buildings

5. (a) Warm and dry   (b) Wednesday

    (c) Both days had little rain but higher temperature on Saturday

6. 1 minute $= 6°$

7. (a) No. Median $= 31.5$ (b) 20%   (c) Key missing

Page 194 **Extension questions with displaying and interpreting data**

1. (a) 15%   (b) $x = 126°, y = 109°$

2. (a) class P: frequencies 1, 3, 8, 9, 6 and class Q: frequencies 3, 6, 9, 9, 3

    (c) class P: mean $= 161$, median $= 161$, range $= 42$ and class Q: mean $= 156$, median $= 158.5$, range $= 43$

    (d) class P heights generally taller with above evidence

3. each hour $= 15°$ so school should $= 90°$ and 'chill' time should $= 60°$

4. (a) 77   (b) Toby's pulse rate $= 78$ so median increases to 78

5. (a) $5 \rightarrow 10\%$ (b) About 150   (c) There were more people on the ferry

6. (a) 4/5%   (b) 11%   (c) (i) 4/5%   (ii) 0.5%

    (d) Far more old people in the UK. (Better health care, diet, etc.)

    (e) Kenya half male, half female, Saudi Arabia significantly more males

Page 197 **Exercise 1M and 2M**

For discussion

Page 199 **Exercise 3M**

6. Theory says 50 of each but for 100 throws, the chance is that there will not be exactly 50 of each.

7. Not fair. The 3 has come up a quarter of the time which is far more than would be expected.

Page 200 **Exercise 4M**

1. (a) $\frac{1}{5}$ (b) $\frac{1}{5}$ (c) 0   **2.** (a) $\frac{2}{3}$ (b) $\frac{1}{3}$

3. (a) $\dfrac{1}{3}$ (b) $\dfrac{2}{3}$ **4.** (a) $\dfrac{6}{11}$ (b) $\dfrac{3}{11}$ (c) $\dfrac{1}{11}$ (d) $\dfrac{10}{11}$

5. (a) $\dfrac{1}{9}$ (b) $\dfrac{2}{9}$ (c) $\dfrac{4}{9}$ **6.** (a) $\dfrac{1}{6}$ (b) $\dfrac{1}{6}$ (c) $\dfrac{2}{3}$

7. Not correct. Different skill levels, etc.

8. (a) $\dfrac{1}{8}$ (b) $\dfrac{1}{2}$ (c) $\dfrac{5}{8}$ **9.** (a) $\dfrac{1}{9}$ (b) $\dfrac{1}{3}$ (c) $\dfrac{5}{9}$

10. (a) $\dfrac{7}{12}$ (b) $\dfrac{1}{6}$ (c) $\dfrac{5}{12}$ (d) $\dfrac{7}{12}$ (or $\dfrac{3}{4}$ if piranhas eat sharks)

     (e) 0 (unless it is a tuna)

11. equally likely (both $\dfrac{9}{16}$)   **12.** (a) $\dfrac{1}{8}$ (b) $\dfrac{1}{8}$ (c) $\dfrac{1}{4}$ (d) $\dfrac{1}{2}$

13. (a) $\dfrac{1}{10}$ (b) $\dfrac{7}{50}$ (c) $\dfrac{3}{10}$ (d) $\dfrac{1}{10}$ (e) $\dfrac{3}{50}$ (f) $\dfrac{1}{50}$

14. (a) $\dfrac{1}{4}$ (b) $\dfrac{3}{8}$ (c) $\dfrac{1}{2}$ (d) $\dfrac{1}{8}$ (e) $\dfrac{7}{8}$

15. $\dfrac{1}{3}$ of 14 is not a whole number of balls.

16. (a) $\dfrac{1}{10}$ (b) $\dfrac{3}{5}$ (c) $\dfrac{5}{49}$

Page 203   ***Exercise 5M***

1. (a) (1, 10) (1, 20) (10, 1) (10, 20) (20, 1) (20, 10)

    (b) (i) $\dfrac{1}{3}$ (ii) $\dfrac{1}{3}$ **2.** (a) $\dfrac{1}{6}$ (b) $\dfrac{1}{6}$

3. (a) (2, 3) (2, 6) (2, 7) (3, 2) (3, 6) (3, 7) (6, 2) (6, 3) (6, 7) (7, 2) (7, 3) (7, 6)

    (b) (i) $\dfrac{1}{6}$ (ii) $\dfrac{1}{3}$

4. (a) (HHH) (HHT) (HTH) (HTT) (THH) (THT) (TTH) (TTT)

    (b) (i) $\dfrac{3}{8}$ (ii) $\dfrac{1}{8}$

5. (a) $\dfrac{1}{6}$ (b) $\dfrac{1}{3}$ (c) $\dfrac{1}{6}$

6. Olga. (Olga $\dfrac{3}{12}$ prob of winning, Dylan $\dfrac{2}{12}$ prob of winning)

Page 204   ***Need more practice with probability?***

1. (a) $\dfrac{2}{11}$ (b) $\dfrac{4}{11}$ (c) $\dfrac{7}{11}$ **2.** $\dfrac{1}{6}$ **3.** blue $\left(\dfrac{8}{24} = \dfrac{1}{3}\right)$

4. Not correct. No guarantee that Optimist will win the next race.

5. Yes, fair (Tails comes up about $\frac{1}{2}$ the time as expected)

6. (a) $\frac{5}{26}$ (b) $\frac{1}{26}$ (c) $\frac{3}{26}$ (d) $\frac{5}{26}$

7. (a)

+	1	2	3	4	5	6	7
1	2	3	4	5	6	7	8
2	3	4	5	6	7	8	9
3	4	5	6	7	8	9	10
4	5	6	7	8	9	10	11

(b) (i) $\frac{1}{7}$ (ii) $\frac{3}{14}$

8. (a) 2, 4, 6, 8, 10

Page 205   *Extension questions with probability*

1. (a) $\frac{1}{6}$ (b) $\frac{5}{36}$ **2.** 0.3

3. (a)

−	0	1	2	3	4	5	6	7	8	9
0	0	1	2	3	4	5	6	7	8	9
1	1	0	1	2	3	4	5	6	7	8
2	2	1	0	1	2	3	4	5	6	7
3	3	2	1	0	1	2	3	4	5	6
4	4	3	2	1	0	1	2	3	4	5
5	5	4	3	2	1	0	1	2	3	4
6	6	5	4	3	2	1	0	1	2	3
7	7	6	5	4	3	2	1	0	1	2
8	8	7	6	5	4	3	2	1	0	1
9	9	8	7	6	5	4	3	2	1	0

(b) (i) $\frac{3}{25}$ (ii) $\frac{1}{50}$

(c) 1

4. Yes $\left(\frac{1}{36} = 0.028\right)$

5. (a) 40   (b) 38

6. (a) HHHH, THHH, HTHH, HHTH, HHHT, TTHH, THTH, THHT, HTTH, HTHT, HHTT, TTTH, TTHT, THTT, HTTT, TTTT

   (b) (i) $\frac{3}{8}$ (ii) $\frac{1}{4}$ (iii) $\frac{1}{16}$

7. (a) 32   (b) $\frac{1}{32}$

Page 207   *Spot the mistakes 6*

1. No. Mode = 7 but median = 8

2. No. Do not know how many students in each school.

3. No. Smallest number $= 10$ because $\frac{3}{5}$ of $10 = 6$ which is a whole number.

4. No. Mode is 2 pets.

5. No. Only 16 outcomes so $\frac{3}{16}$

6. Correct

7. Wrong. Only 8 in $20 \leqslant A < 30$ interval and 5 in $30 \leqslant A < 40$ interval. Probably put 30 in the wrong interval.

8. Wrong. Someone could be both left-footed and wearing orange football boots.

9. Correct. Mean $= 23.45$ and median $= 23.45$

10. Correct.

Page 210   *Applying mathematics 3*

1. 355

2. (a) $574 + 322 + 147 = 1043$ (b) $2324 + 3502 + 2315 = 8141$

3.

4. Not correct, $(-3)^2 - -4 = 9 + 4 = 13$

5. BD̂E $= 130°$ (alternate), BÊD $= 25°$ (isosceles triangle) then BÊF $= 155°$ (angles on a straight line add up to $180°$)

6. (b) $(0, 2)\ (2, 8)\ (4, 14)$

    (c) Lines are parallel. $y = 3x + 2$ cuts y-axis at $+2$ and $y = 3x - 4$ cuts y-axis at -4.
         Refer to $y = mx + c$.

7. 8 cm   **8.** (a) 288   (b) $\frac{1}{66}$ **9.** 10   **10.** 72%

Page 212   *Unit 3 Mixed Review*

Part one

1. (a) 7.1   (b) 100   (c) 10   (d) 1000   (e) 100   (f) 100

2. (a) 4, 8, 12, 16, 20   (b) 1, 2, 3, 4, 6, 12   (c) 2, 3

3. (a) $\frac{1}{6}$ (b) $\frac{5}{6}$

4. £27   **5.** $2 \times 2 \times 2 \times 2 \times 7$

6. (a) 231   (b) 225

7. $\dfrac{1}{3}$ **8.** 2, 7, 7, 9, 9

9. (a) true   (b) true   (c) true

10. 7.82

11. (a) 16   (b) 20   (c) 44

12. No. He is 6p short.

Part two

1. (a) 12.8, 128, 125.1   (b) 100, 5.8, 0.58   (c) 2.55, 3, 3000

2. (a) 10   (b) 24   (c) 34

3. (a) possible   (b) false   (c) possible

4. 6110 seconds   **5.** 4, 8, 12, 12, 4   **6.** 504

7. (a) $x = 2$ (b) $x = 1$

8. (a) stationary   (b) filled up   (c) half a tank   (d) 1800

9. 5, 11

10. difference = 0.0135 (median = 1.82, mean = 1.8065)

11. (a) 0.605, 0.65, 0.7, 0.702, 0.71   (b) 0.079, 0.08, 0.1, 0.99

(c) 0.007×10^2, 1^3, (2×3), 2^3, 3^2

12.

	1	2	3	4	5	6
1	1	2	3	4	5	6
2	2	4	6	8	10	12
3	3	6	9	12	15	18
4	4	8	12	16	20	24

$p(>16) = \dfrac{3}{24} = \dfrac{1}{8}$

Page 216   ***Puzzles and Problems 3***

1. (a)

(b)

(c)

(d)

(e)

(f)

48

2. $\boxed{9} - \boxed{5} = \boxed{4}$

$\boxed{6} \div \boxed{3} = \boxed{2}$

$\boxed{1} + \boxed{7} = \boxed{8}$

3. (a) $4 \times 4 - 4 = 12$ (b) $8 \div 8 + 8 = 9$ (c) $8 \times 8 + 8 = 72$

4. (a) $+$ (b) $\div$ (c) $\times$ (d) $\div$ (e) $-$

5. (a) $+$ (b) $-,-$ (c) $+$

6.

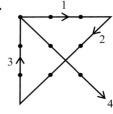

7.

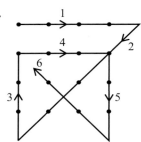

8. (a) M = 2, E = 1, A = 4 or M = 4, E = 2, A = 8

(b) K = 1, L = 8, M = 5

(c) E = 0, V = 5, A = 3, S = 8; N, W, R = 1, 2, 4 in any order

9. (a) many solutions   (b) many solutions   (c) S = 1, O = 3, N = 9, U = 4, W = 0, I = 2

(d) 1 2 4 5   or   2 3 4 5
    3 2 4 5   1 3 4 5
    5 2 6 5 +   5 3 6 5 +
    9 7 5 5   9 0 5 5

(e)
    2 9 8 0
    2 1 7 6 +
    5 1 5 6

Page 218   *Mental Arithmetic Test 1*

1. 1500 **2.** £272 **3.** £600 **4.** 70° **5.** £5 **6.** 210

7. 8 cm **8.** 1945 **9.** 495 mm **10.** 295 cm **11.** five-to-seven

12. 3300 g **13.** 102.5 **14.** 135 miles **15.** $1\frac{1}{2}$ **16.** 47

17. 50p, 10p, 2p, 2p, 2p or 20p, 20p, 20p, 5p, 1p (there are other ways)

18. 45 litres **19.** 19 hours **20.** 10 000 **21.** 80 **22.** -2 **23.** £10 million

24. 221 **25.** 5%

Page 218   *Mental Arithmetic Test 2*

1. £26 **2.** 1020 **3.** 24 cm² **4.** 25 **5.** 2.85

6. 11 **7.** 1.65 m **8.** 0.09 **9.** 0.25 **10.** 0.36

11. 2 **12.** 55 **13.** 7990 **14.** 23 **15.** $\frac{1}{8}$

16. 150 m **17.** 3 500 000 **18.** 120 000 **19.** 15 cm or 0.15 m **20.** 37

21. 1081 **22.** 84 cm **23.** 250 **24.** £525 **25.** 120°

Page 219 **A long time ago! 3**

Exercise

1. £7 9s. 4d.
2. £10 6s. 11d.
3. £13 11s. 2d.
4. £4 5s. 6d.
5. £8 14s. 4d.
6. £6 8s. 6d.
7. 48
8. 42
9. 5s. 6d.
10. 4d.
11. 6d.

UNIT 4

Page 221 **Exercise 1M**

1. (a) 0.37　　(b) 0.6　　(c) 0.06　　(d) 0.19　　(e) 0.45

2. (a) F　　(b) F　　(c) T　　(d) T　　(e) T　　(f) F

3. $\dfrac{19}{20}$　　4. (a) $\dfrac{3}{4}$　　(b) 75%

5. (a) $\dfrac{49}{100}$　　(b) $\dfrac{2}{25}$　　(c) $\dfrac{3}{20}$

6. 9 out of 20　　7. $\dfrac{64}{100}, \dfrac{128}{200}, \dfrac{16}{25}$

8. (a) $\dfrac{7}{10}, \dfrac{3}{4}, 0.8$　　(b) $\dfrac{11}{20}, 0.57, 60\%$　　(c) $\dfrac{1}{5}, 24\%, \dfrac{1}{4}$　　(d) $0.8, 82\%, \dfrac{21}{25}$

9. $\dfrac{17}{20}, 0.85, 85\%;$　　$\dfrac{4}{5}, 0.8, 80\%;$　　$\dfrac{1}{4}, 0.25, 25\%,$　　$\dfrac{3}{25}, 0.12, 12\%;$　　$\dfrac{22}{25}, 0.88, 88\%$

Page 223 **Exercise 2M**

1. 36%　　2. 70%　　3. 40%　　4. 17%
5. D (25%), A (28%), C (30%), B (65%)　　6. 25%
7. (a) 20%　　(b) 68%　　(c) 66%　　(d) 10

Page 224 **Exercise 3M**

1. 55%　　2. 31%　　3. $66\frac{2}{3}\%$　　4. (a) 11%　　(b) 21%
5. (a) 86%　　(b) 12%　　6. 24%
7. (a) 38%　　(b) 7%　　(c) 18%　　8. Deven　　9. Hotels

Page 225 **Exercise 4M**

1. (a) £160　　(b) £22　　(c) £280　　(d) £12　　(e) £4　　(f) £12
2. 25% of £60　　3. same　　4. 36　　5. 132

6. (b)   **7.** £46   **8.** 588   **9.** 57 kg

10. (a) £42   (b) £15   (c) £560   (d) £4   (e) £24   (f) £58 900

11. (a) £2100   (b) £2205   (c) £2315.25

12. (a) £624   (b) £288   (c) £1680   (d) £780

13. 286

Page 227   Exercise 5M

1. 9% of £21

2. (a) 2190 kg   (b) 74.2 km   (c) $7.05   (d) 14.62 km   (e) 282 m   (f) 6958 g

3. £224   **4.** £239.20   **5.** 84.8 kg

6. (a) £81.20   (b) £186.20   (c) £201.60   (d) £4469

7. 1.7874 m   **8.** Yes, he still makes £1.60 per fleece

9. Not correct. Different numbers of boys and girls. One less child overall after the changes.

10. £202 207.50

11. (a) 1512   (b) The two 6% calculations are based on different numbers of people.

12. week 5

Page 228   Need more practice with percentages?

1. 35%

2.

$\frac{7}{10}$	0.7	70%
$\frac{6}{25}$	0.24	24%
$\frac{23}{50}$	0.46	46%
$\frac{19}{20}$	0.95	95%
$\frac{3}{20}$	0.15	15%

3. 22%   **4.** 44%

5. (a) 559   (b) 172   **6.** 475 g   **7.** Group E   **8.** 10 080

9. £362.10   **10.** 2.94 kg

Page 230   Extension questions with percentages

1. (a) £1.14   (b) £2.98   (c) £6.27   (d) £0.57   (e) £418.76   (f) £0.93

2. £702   **3.** £72.97   **4.** £18.33   **5.** (a) £16 280   (b) £11 094.36

6. eg.16% of £18   **7.** (a) £11 928.96   (b) Better in bank because Phil has lost money.

8. 225%   **9.** Kitchen Sense more expensive by £14.40

10. (a) £159   (b) 35%

Page 232 **Exercise 1M**

2. 60%   **3.** £75   **4.** 400   **5.** £108

6. 165 minutes   **7.** £304.50   **8.** 16

9. (a) 180   (b) 9   (c) 10   (d) 6

10. (a) 21 hours   (b) assuming the same rate of painting at all times.

Page 233 **Exercise 1E**

1. 1200 ml is better value   **2.** Alexa (580 yards) gets better deal

3. 41.6 litres   **4.** 20

5. (a) The smaller boxes with the deal are better value.   (b) May not want 3 boxes, etc.

6. 6000   **7.** 96 minutes

8. (a) 150 g butter, 75 g caster sugar, 150 g soft brown sugar, 37.5 g black treacle, 262.5 g flour, 1.5 tablespoons ground ginger.

(b) No. Chef needs 112.5 g of black treacle.   (c) 39

9. $\dfrac{nb}{b + 5}$ hours

Page 235 **Exercise 2M**

1. 5:3   **3.** 19:14

4. (a) 1:4   (b) 4:5   (c) 1:11   (d) 4:3   (e) 5:4:3   (f) 3:5

(g) 13:5   (h) 2:3:10   (i) 6:3:4

5. 7:12   **6.** 4:3

7. (a) 4   (b) 3   (c) 7   (d) 15   (e) 3   (f) 4

8. No. 12:16:28 = 3:4:7 not 3:4:6   **9.** Brooke 6 hours, Wyatt 2 hours

10. Yes, 1:1 would mean they are the same age   **11.** 1:16

Page 236 **Exercise 3M**

1. (a) £27 : £9   (b) £6 : £30   (c) £24 : £12

2. (a) £30 : £45   (b) £33 : £42   (c) £40 : £35

3. (a) 16   (b) 12

4. 27   **5.** £40   **6.** 81   **7.** 63   **8.** £10   **9.** 12

10. (a) 12 litres   (b) 7:5

11. 30 hours   **12.** $\dfrac{1}{5}$

13. Rob £11 500, Louise £17 000, Steve £6500, Gemma £5000   **14.** 264 kg

Page 238   Need more practice with proportion and ratio?

1. $\dfrac{1}{4}$ **2.** £18   **3.** (a) $\dfrac{1}{4}$ (b) $\dfrac{3}{8}$

4. Cerys, it should be 50:1   **5.** 175   **6.** 21:16

7. pencil case B $\left(\dfrac{2}{3} > \dfrac{5}{8} \text{ because } \dfrac{16}{24} > \dfrac{15}{24}\right)$ **8.** 72 minutes

9. 250 g better value   **10.** 0.1 m

Page 239   Extension questions with proportion and ratio

1. £75

2. (a) 12:1   (b) 25:1   (c) 4:1   (d) 16:1   (e) 100 000:1   (f) 15:1:2

3. 350 tablets   **4.** (a) $2\dfrac{1}{3}$ times   (b) 18 times

5. $\dfrac{3}{100}$ **6.** 8:5   **7.** Correct   **8.** Not enough flour (needs 1000 g)

9. £350   **10.** 24 cm

Page 240   Spot the mistakes 7

1. Do not divide by 5 for 5% (should be £42)   **2.** $\dfrac{3}{8}$ is blue   **3.** Correct

4. Do not add shares (5 shares are 40 so 1 share = 8 not 4)

5. 5000:200 (get units the same) so 25:1   **6.** 2% is 0.02 (should be £0.24)

7. should increase each side before finding area (should be 77.76 cm²)

8. Jess has ignored buy one, get one free   **9.** Correct

10. Add 2 onto their actual ages (should be 5:1)

Page 243   Exercise 1M

1. (a) 40°   (b) 110°   (c) 55°

2. (a) 7.0 cm   (b) 15.0 cm   (c) 9.4 cm

3. 8.7 cm   **4.** $x = 115°, y = 65°$ **5.** 13 km   **6.** 5.9 cm

Page 245   **Exercise 2M**

1. 57°   **2.** 29°   **3.** 84°   **4.** 103°

5. 49°   **6.** 98°   **7.** 164° to 165°   **8.** 64°

Page 246   **Need more practice with constructing triangles?**

1. 10.3 cm

2. (a) 7.0 cm   (b) 7.4 cm   (c) 11.3 cm

3. (a) 40°   (b) 40°

4. Possibly labelled the triangle vertices in a different order?

Page 247   **Extension questions with constructing triangles**

1. $m = 60°$, $n = 120°$ **2.** 50°

3. (a) 10.8 cm   (b) 14.1 cm

4. 50°   **6.** £389 000

Page 249   **Exercise 1M**

1. (a) trapezium   (b) kite   (c) regular hexagon   (d) square

   (e) rectangle   (f) equilateral triangle (g) heptagon   (h) regular pentagon

   (i) rhombus   (j) regular decagon   (k) trapezium   (l) pentagon

   (m) isosceles triangle   (n) quadrilateral   (o) parallelogram   (p) regular octagon

   (q) hexagon   (r) trapezium   (s) rectangle   (t) parallelogram

2. diagonals are perpendicular, diagonals bisect each other

3. both shapes have one pair of parallel sides only

4. kite   **5.** B   **6.** change all angles into right angles

7. kite   **8.** trapezium or triangle

Page 251   **Exercise 2M**

1. none   **2.**   **3.** rectangle, rhombus   **4.** 2

54

5. square   **6.** 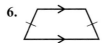   **7.** 3   **8.** 2

9. parallelogram, rectangle, rhombus   **10.** kite, trapezium

Page 251   *Need more practice with two dimensional shapes?*

1. No   **2.** Yes   **3.** No, eg.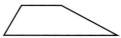

4. trapezium, parallelogram, kite, rhombus

5. A – square, B – rhombus, C – kite, D – parallelogram, E – trapezium, F – rectangle

Page 253   *Extension questions with two dimensional shapes*

Investigation triangles and quadrilaterals

Part A. Eight different triangles:

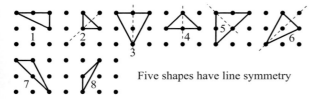

Five shapes have line symmetry

Part B. Sixteen different quadrilaterals:

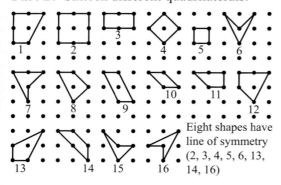

Eight shapes have line of symmetry (2, 3, 4, 5, 6, 13, 14, 16)

Page 256   *Exercise 1M*

1. (a) $\begin{pmatrix} 2 \\ -3 \end{pmatrix}$ (b) $\begin{pmatrix} 5 \\ 3 \end{pmatrix}$ (c) $\begin{pmatrix} -4 \\ 1 \end{pmatrix}$ (d) $\begin{pmatrix} -7 \\ 0 \end{pmatrix}$ **2.** (e) $\begin{pmatrix} 2 \\ -4 \end{pmatrix}$

3. (a) $\begin{pmatrix} -5 \\ 1 \end{pmatrix}$ (b) $\begin{pmatrix} -4 \\ -5 \end{pmatrix}$ (c) $\begin{pmatrix} 5 \\ 0 \end{pmatrix}$ (d) $\begin{pmatrix} 7 \\ -4 \end{pmatrix}$

     (e) $\begin{pmatrix} -7 \\ 4 \end{pmatrix}$ (f) $\begin{pmatrix} -1 \\ -7 \end{pmatrix}$ (g) $\begin{pmatrix} 2 \\ 1 \end{pmatrix}$

4. $\begin{pmatrix}1\\2\end{pmatrix}\begin{pmatrix}5\\0\end{pmatrix}\begin{pmatrix}0\\-3\end{pmatrix}\begin{pmatrix}-2\\0\end{pmatrix}\begin{pmatrix}0\\2\end{pmatrix}\begin{pmatrix}-2\\0\end{pmatrix}\begin{pmatrix}-1\\-2\end{pmatrix}\begin{pmatrix}-1\\1\end{pmatrix}$

5. (a) E   (b) C   (c) F   (d) E   **6.** $\begin{pmatrix}-5\\-8\end{pmatrix}$

7. (a) Many options, eg. $\begin{pmatrix}-2\\-1\end{pmatrix}\begin{pmatrix}2\\4\end{pmatrix}\begin{pmatrix}-1\\2\end{pmatrix}\begin{pmatrix}3\\0\end{pmatrix}\begin{pmatrix}3\\-3\end{pmatrix}\begin{pmatrix}1\\-3\end{pmatrix}\begin{pmatrix}-2\\-1\end{pmatrix}$

    (b) eg. above choices take 28 minutes   **8.** $\begin{pmatrix}m\\-n\end{pmatrix}$

Page 258   *Exercise 1M*

1. 3   **2.** No   **3.** 2   **4.** No   **5.** No   **6.** 2

7. 4   **8.** 2   **9.** 5   **10.** 8   **11.** 5   **12.** No

13. 6   **14.** 6   **15.** 4   **16.** 4

17.   **18.**   **19.**

20.   **21.**   **22.**

Page 259   *Exercise 2M*

1. (a) No   (b) Yes   **2.** Own designs   **3.** Own designs   **4.** Own designs

5. (a) $(3, 10); x = 2, y = 8$ (b) $(10, -1); x = 7, y = 1$ (c) $(10, -3); x = 7\frac{1}{2}, y = -2\frac{1}{2}$

    (d) $(5, -6)$ (e) $(4, -8)$ (f) $(-4, 7); x = -6, y = 7$

    (g) $(-3, 3); x = 0, y = 0, y = x, y = -x$ (h) $(4, -2)$

    (i) $(-1, -8), (-7, -2), (-9, -8)$ (j) $(-4, 4), (-2, 4), (0, 8)$

    (k) $(9, 9), (9, 6); x = 7\frac{1}{2}, y = 7\frac{1}{2}, x + y = 15$

Page 260   *Exercise 3M*

1. 2   **2.** 3   **3.** 3   **4.** 6   **5.** 28

6. 17   **7.** $17\frac{1}{2}$ **8.** $24\frac{1}{2}$ **9.** 19 possible designs

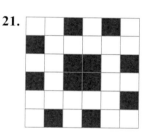
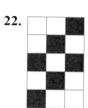

56

3.

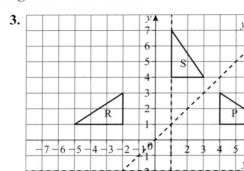

4.

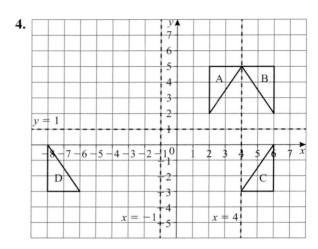

5. (a) $y = x$ (b) $y = 0$ (c) $x = 0$ (d) $y = -4$ (e) $y = x$ (f) $x = -\dfrac{1}{2}$

6. (d) Back in the original position (reflected across the same mirror line in both directions)

7. (d) $x = 6$

10. 90° CW   **11.** 90° ACW   **12.** 180°   **13.** 90° ACW   **14.** 180°   **15.** 270° CW

5. (a) U   (b) T   (c) R   (d) T   (e) T

1.

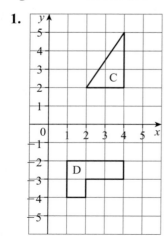

2.

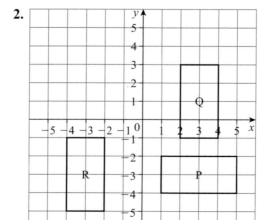

3. It has rotated 180° about the origin.

4. (a) 90° ACW about (−1, 4)   (b) 180° about (2, 1)   (c) 180° about (1, −1)

5.

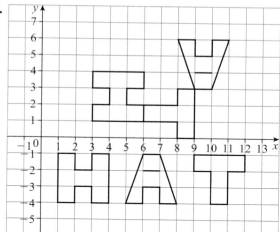

6. 270° ACW about (1, 2) or 90° CW about (1, 2)

7.

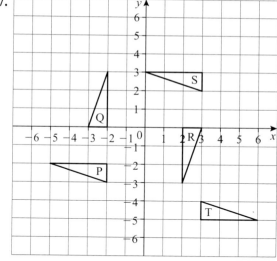

(g) 90° ACW about (−2, −5) or 270° CW about (−2, −5)

*Page 269   **Need more practice with translation, reflection and rotation?***

1. 10

3. (a) $\begin{pmatrix} -4 \\ -1 \end{pmatrix}$ (b) $\begin{pmatrix} 4 \\ -4 \end{pmatrix}$ (c) $\begin{pmatrix} -3 \\ 0 \end{pmatrix}$ (d) $\begin{pmatrix} 3 \\ 5 \end{pmatrix}$ (e) $\begin{pmatrix} -2 \\ -4 \end{pmatrix}$ (f) $\begin{pmatrix} -2 \\ 1 \end{pmatrix}$

4. H

58

5.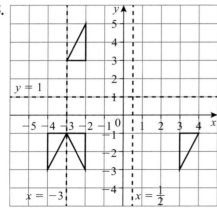

6.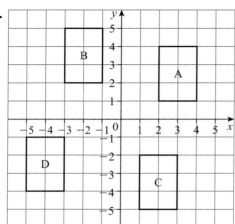

(f) $\begin{pmatrix} 2 \\ 6 \end{pmatrix}$

7. (a) Yes   (b) 2

8.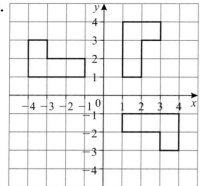

Page 271   Extension questions with translation, reflection and rotation

1. (a) $x = -1$ (b) $y = \dfrac{1}{2}$ (c) $y = x$ (d) $y = 1$

2. (e) $180°$ about $(0, 0)$

59

3. (a) 180° about (0, 3) (b) 90° ACW about (4, 1)

   (c) 180° about (0, −2) (d) 90° CW about (1, −6)

4. Not correct

5. 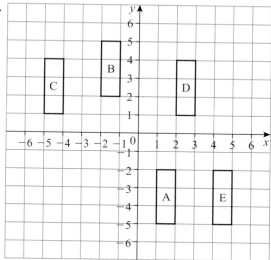 (g) $x = 3$

6. (a) reflection in $y = x$ (b) reflection in $y = -1$ (c) translation by $\begin{pmatrix} -10 \\ 0 \end{pmatrix}$

   (d) reflection in $y = x$ (e) rotation 180° about (6, −4) (f) rotation 90° ACW about (1, 6)

   (g) translation by $\begin{pmatrix} -7 \\ 0 \end{pmatrix}$ (h) translation by $\begin{pmatrix} 0 \\ 7 \end{pmatrix}$ (i) translation by $\begin{pmatrix} -5 \\ -9 \end{pmatrix}$

   (j) reflection in $y = 5\frac{1}{2}$

7. pupil choices

*Page 273 **Spot the mistakes 8***

1. Only 2 lines of symmetry **2.** Correct

3. Has been reflected in $x = -1$ **4.** Should be $\begin{pmatrix} -9 \\ 2 \end{pmatrix}$

5. 70° angle drown incorrectly. Probably read incorrect scale on the protractor.

6. No rotational symmetry (ie. order 1) **7.** Correct

8. Has been rotated about (0, 0) **9.** Not true, eg.

10. Triangle P has been translated by $\begin{pmatrix} 4 \\ -5 \end{pmatrix}$

Page 277 **Applying mathematics 4**

1. £489.40

2. (a) $575 + 326$ (b) $369 + 584 = 953$ (c) $216 + 534$

3. Dom plays for 2 minutes longer   **4.** 23

5. Correct. Probably checked by a scale drawing.   **6.** 30°

7. 225 litres   **8.** -4

9. (a) $\dfrac{6 + 6}{6}$ (b) $7 + 7 - 7$ (c) $\dfrac{99}{9}$ (d) $4 + 4 + \dfrac{4}{4}$ (e) $\dfrac{4 + 4 + 4}{4}$

10. 11:6

Page 279 **Unit 4 Mixed Review**

Part one

1. £42   **2.** £27   **3.** True   **4.** 5.7 cm

5. (a) (b) 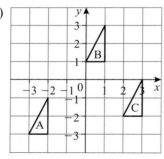   (c) $\begin{pmatrix} -5 \\ -1 \end{pmatrix}$

6. 10 minutes   **7.** Order 16   **8.** $\dfrac{7}{25}$ **9.** 3960 g

10.   **11.** 60%   **12.** £750.40

Part two

1. £5.50   **2.** 0.63   **3.**

4. 694.008 cm²   **5.** $x = 78°–79°, y = 59°$

6. 12.5 minutes   **7.** 348 945   **8.** £58.14

10. (a) $x = -1$ (b) 90° CW about (0, 0)

(c) 90° ACW about (3, −2)   (d) $\begin{pmatrix} -7 \\ 5 \end{pmatrix}$

11. 39   **12.** £624

Page 281   **Puzzles and Problems 4**

Cross numbers without clues

1.

3	7	5	■	3	7
0	■	1	2	7	4
8	2	8	■	4	■
5	■	1	6	2	5
1	8	■	9	■	3
3	7	1	2	5	■

2.

3	8	2	■	2	1
7	■	7	9	6	3
5	8	2	■	3	■
0	■	5	1	0	4
4	7	■	7	■	5
1	2	7	8	5	■

3.

8	2	5	3	3	6	4
7	■	3	2	7	■	4
6	3	■	4	4	8	8
4	3	6	■	5	7	3
3	7	5	6	1	5	■
6	■	1	8	2	■	6
4	2	5	3	4	6	4

4.

3	4	4	6	2	■	2	7
4	■	5	3	0	4	■	1
7	4	5	6	2	■	5	4
3	1	1	■	4	8	3	■
■	2	8	5	■	1	6	1
5	■	5	3	6	0	■	1
3	6	■	8	4	7	6	2
5	3	7	0	■	2	9	7

5.

5	6	3	2	4	■	5	6
6	■	2	8	3	1	■	0
4	7	1	8	5	■	3	7
7	6	8	■	9	5	2	■
■	9	0	2	■	6	2	7
7	■	2	8	7	3	■	4
6	9	■	5	2	3	1	4
2	8	4	6	■	7	6	1

6.

2	4	6	8	1	■	5	3	5	1
8	3	■	2	4	5	8	■	5	3
5	5	■	5	6	3	■	■	5	6
■	1	2	1	■	2	4	5	7	■
1	■	4	■	2	1	7	■	■	2
3	3	5	■	3	■	3	8	6	4
4	4	6	2	■	8	■	2	1	6
9	5	1	2	■	2	1	■	■	8
■	8	■	■	2	4	6	3	9	1
9	1	7	■	2	1	5	6	1	3

Page 284   **Mental Arithmetic Test 1**

1. 5, 7 or 35	**2.** 63	**3.** £7.70	**4.** 25 cm^2
5. 2010	**6.** 20	**7.** 6.3	**8.** 1
9. £8.97	**10.** 27	**11.** £1	**12.** 50, 10, 5, 2
13. £11.95	**14.** 1h 25 min	**15.** 80 000	**16.** 1 500 000 000
17. 4.05	**18.** 12	**19.** 790 mm	**20.** 8
21. 6	**22.** 240 cm	**23.** £55	**24.** 37
25. 64			

Page 284   **Mental Arithmetic Test 2**

1. £10 000	**2.** 24 cm^2	**3.** False	**4.** 295 cm
5. 6.35	**6.** 105	**7.** Thursday	**8.** 40%
9. 20, 20, 20, 5 or 50, 5, 5, 5		**10.** £1 800 000	**11.** 121
12. 105°	**13.** $12\frac{1}{2}$	**14.** 7	**15.** £9.40
16. 64%	**17.** 90 cm	**18.** 499 mm	**19.** 250
20. 9.20	**21.** £66	**22.** 120°	**23.** 100 000
24. 100	**25.** 66		

Page 286   **The Königsberg Problem**

1.   It cannot be done

UNIT 5

Page 287   **Exercise 1M**

1. $2w - 18$ **2.** $2p + q + 8$ **3.** (a) $3y$ (b) $8m + 2$ (c) $6x$ (d) $5w - 3$

4. $2n + n, 3n$ **5.** (a) 2   (b) w

6. (a) $mn - mp$ (b) $12m + 8$ (c) $n^2 - 5n$ **7.** $2a \times 5b \times 4c$

8. 34   **9.** (a) $13x + 47$ (b) 125 cm^2

10. Not correct. $2x - x = x$

11. $w = 5$ **12.** $a = 8$ **13.** $p = 47$ **14.** $a = 80$

15. $y = 3$ **16.** $m = 185$ **17.** $2m - n + 3$ **18.** $2m + n$

Page 289 **Exercise 1E**

1. $\dfrac{x}{9} - 14$ **2.** $\dfrac{n}{2} - y - 2$ **3.** $6a - 1$ **4.** $56n^3$ **5.** $34mn$

6. (a) $3mn$ (b) $xy + 7x$ (c) $7pq$ (d) $a + 9 + 7ab$

7. $w = 19$ **8.** $h = -24$ **9.** $n = -10$ **10.** $p = 36$ **11.** $y = 30$

12. $p = -10$ **13.** $a = -18$ **14.** $y = -21$ **15.** $p = 34$ **16.** $m = 61$

Page 290 **Exercise 2M**

1. 8   **2.** 12   **3.** 20   **4.** 6   **5.** 9   **6.** 7

7. 5   **8.** 8   **9.** 6   **10.** 4   **11.** 9   **12.** 8

Page 292 **Exercise 3M**

1. 13   **2.** 17   **3.** 8   **4.** 0   **5.** 24   **6.** 12

7. 3   **8.** 3   **9.** 9   **10.** 5   **11.** 1   **12.** $\dfrac{1}{2}$

13. 25   **14.** 0   **15.** 6   **16.** 20   **17.** 10   **18** $\dfrac{2}{3}$

19. 24   **20.** 4   **21.** 120

Page 292 **Exercise 3E**

1. 38   **2.** 0   **3.** 3   **4.** 100   **5.** 16   **6.** $\dfrac{1}{3}$

7. 1   **8.** 84   **9** $\dfrac{1}{9}$ **10.** 5   **11.** 103   **12.** 160

13. 315   **14.** 27   **15.** 0   **16.** 500   **17.** 19   **18.** 60

19. 70   **20.** 0   **21.** $\dfrac{1}{8}$ **22.** 9.6   **23.** 0.2   **24.** -60

25. $\dfrac{1}{6}$ **26.** 877   **27.** 0.27   **28.** 1595   **29.** $\dfrac{1}{3}$ **30.** 0.075

Page 293 **Exercise 4M**

1. 3   **2.** 7   **3.** 4   **4.** 1   **5.** 3   **6.** 9

7. 5   **8.** $\dfrac{7}{9}$ **9** $\dfrac{2}{5}$ **10.** $\dfrac{1}{2}$ **11.** 6   **12.** 20

13. 8   **14.** $\dfrac{2}{7}$ **15.** 7   **16.** $\dfrac{1}{3}$ **17.** 50   **18.** $\dfrac{4}{9}$

19. 20   **20.** $4\dfrac{1}{3}$ **21.** 0   **22.** $\dfrac{4}{5}$ **23.** 6   **24.** $\dfrac{2}{3}$

Page 294 **Exercise 5M**

1. 9 **2.** 6 **3.** 1 **4.** 12 **5.** 0 **6.** $\frac{4}{7}$

7. 14 **8.** $\frac{3}{5}$ **9.** $\frac{1}{4}$ **10.** $\frac{1}{13}$ **11.** $\frac{1}{4}$ **12.** $\frac{2}{3}$

13. $2\frac{2}{5}$ **14.** 0 **15.** $2\frac{1}{2}$ **16.** 9 **17.** 201 **18.** $\frac{7}{9}$

19. 9 **20.** 45 **21.** $\frac{1}{50}$ **22.** $\frac{1}{4}$ **23.** $\frac{1}{8}$ **24.** $\frac{2}{3}$

Page 294 **Exercise 6M**

1. 5 **2.** 4 **3.** 6 **4.** 3 **5.** 8

6. 10 **7.** 7 **8.** 5 **9.** 6 **10.** 9

11. pupil answer **12.** $\frac{2}{6} = \frac{1}{3}$ **13.** $\frac{14}{15}$ **14.** 3.5 **15.** $\frac{15}{45} = \frac{1}{3}$

16. $\frac{3}{4}$ **17.** 1.5 **18.** 4.5 **19.** 2.5 **20.** $\frac{5}{6}$

21. eg. $2(4x + 3) = 46$ **22.** pupil answer

Page 295 **Exercise 7M**

1. 10 **2.** 7 **3.** 5 **4.** 30 **5.** $3\frac{2}{3}$ **6.** $2\frac{2}{5}$

7. 2 **8.** $\frac{5}{6}$ **9.** $2\frac{2}{5}$ **10.** $\frac{1}{4}$ **11.** 7 **12.** 10

Page 296 **Exercise 7E**

1. (a) $3x + 20, x, 3x, x - 7$ (b) $8x + 13 = 133$ (c) 15
   (d) A:65 kg, B:15 kg, C:45 kg, D:8 kg

2. (a) $x, 2x, 2x + 3$ (b) $5x + 3 = 33$ (c) 6 g

3. 3.5 cm **4.** 8 cm **5.** 5 cm **6.** (a) $3x + 2$ (b) 6

7. (a) 45° (b) 30° (c) 35°

8. 27° **9.** 52°, 64°, 64° **10.** (a) 19 (b) 21

Page 298 ***Need more practice with equations?***

1. 7 **2.** 28 **3.** 60 **4.** 7 **5.** 72 **6.** 6

7. 6 **8.** 12 **9.** 4 **10.** 4 **11.** 11 **12.** 9

13. Ayden correct. Emily has divided 6 by 2 instead of multiplying.

14. $4n + 10 = 38$ and width $= 7$ **15.** $6x + 60 = 180$ and $x = 20$

16. (a) $x, 3x, x + 7$ (b) $5x + 7 = 67$ (c) Trinity 12, Mother 36, Brother 19

17. $\frac{4}{5}$ **18.** $\frac{1}{3}$ **19.** $\frac{5}{6}$ **20.** $\frac{2}{3}$ **21.** $3\frac{1}{5}$ **22.** $\frac{5}{7}$

23. 5   **24.** 14   **25.** 6   **26.** 3   **27.** 6   **28.** 2

Page 299   **Extension questions with equations?**

1. 2   **2.** $\frac{1}{20}$ **3.** $\frac{1}{3}$ **4.** 24   **5.** 1.25   **6.** $\frac{3}{5}$

7. $3\frac{1}{6}$ **8.** $4\frac{5}{8}$ **9.** $2\frac{1}{3}$ **10.** eg. $3x + 1 = 19$ so $x = 6$ **11.** 5

12. (a) 11   (b) 186   **13.** 16, 17, 18, 19   **14.** 31 km

15. 87°, 93°, 87°, 93°   **16.** $x = 7$ and area $= 1089$ **17.** 1176 cm²

18. 4   **19.** $\frac{11}{12}$ **20.** $4\frac{5}{6}$ **21.** 6   **22.** 8   **23.** 7

24. 15   **25.** 4   **26.** 15

Page 301   **Exercise 1M**

1. (a) (i) £3.60   (ii) £1.40   (iii) £3.20   (iv) £4.60

(b) (i) 390   (ii) 190   (iii) 330   (iv) 70

(c) £3.80

2. (a) 50p   (b) 30 seconds   (c) 75 seconds   (d) 85p

3. (a) about 2.6 pounds   (b) about 0.9 kg

4. (a) broken line is for good weather   (b) about 44 m   (c) 30 mph

5. (b) £23

Page 303   **Exercise 2M**

1. (a) 100 km   (b) 1 h   (c) 08.15   (d) (i) 60 km/h   (ii) 80 km/h

2. (a) $\frac{1}{2}$ hour   (b) 17.00   (c) 15.15   (d) (i) 20 km/h   (ii) 100 km/h

3. (a) 15 miles   (b) 09.30   (c) 50 mph   (d) 40 mph

4. (a) C   (b) B   (c) A   (d) D   (e) E

5. 20.30   **6.** 16.37 and 30 secs.   **7.** 15.45   **8.** About 13.25, 37 km from Kate's home

Page 305 **Need more practice with interpreting graphs?**

1. (a) 39°C   (b) 10.00   (c) 9.00 and 11.00   (d) 8.30–9.00

2. (a) 25°C   (b) 59°F

3. (a) 1400 m   (b) 1600 m   (c) 1200 m   (d) 11.00 and 13.00

     (e) 2400 m   (f) 30 minutes   (g) 3 h

4. (a) 40 km   (b) 09.15   (c) (i) 100 km/h   (ii) 40 km/h   (iii) 16 km/h   (d) $2\frac{1}{2}$ hours

5. (a) (i) £200   (ii) £600   (iii) £400   (b) £200

Page 306 **Extension questions with interpreting graphs**

1. 15.00   **2.** (b) 11.00   (c) 10.45

3. (a) Robber was caught   (b) 02.30

4. (a) car C   (b) about 50 minutes

Page 307 **Spot the mistakes 9**

1. $5x = 4$ not 2 so $x = \dfrac{4}{5}$

2. Missed 2 sides of rectangle. Perimeter $= 12n + 60$ so triangle side length $= 4n + 20$

3. Should be $4xy + 5y$ **4.** 5 needs to be multiplied by 3 so $6n + 15 = 17$ and $n = \dfrac{1}{3}$

5. Should be \$3.60   **6.** Correct   **7.** Correct

8. Square n then multiply by 2 so $P = 18 + 3 = 21$

9. Mistake in first $\dfrac{1}{2}$ hour when only 15 km are travelled.

Graph should be: Olivia's speed when returning home $= 35$ km/h.

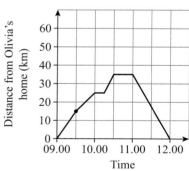

10. Diya has $4x + 20$ not $x + 20$. Equation is $9x + 20 = 200$ so $x = 20$ and Taylor has £20, Austin £80 and Diya £100

Page 311 **Exercise 1M**

1. (a) 48   (b) 20   (c) 111   (d) 1

2. $2 + 3 = 5, 2 + 5 = 7$ (+ many others) **3.** 4, 9

4. (a) 4, 8, 12, 16, 20, 24 (b) 5, 10, 15, 20, 25, 30 (c) 20

5. 6

6. (a) 3 (b) 12 (c) 4

7. 6 is not a prime number **8.** $2 \times 3 \times 5 \times 5$ **9.** (a) 24 (b) 504

10. H.C.F. $= 35$ and L.C.M. $= 1155$

Page 312 **Exercise 2M**

1. (a) 9 (b) 20 (c) 3 (d) 12 (e) 24 (f) 15 (g) 18 (h) 15

2. Shade in 8 squares and 3 squares on the diagrams

3. $\frac{1}{5} + \frac{1}{3}$

4. (a) 0.3 (b) 0.25 (c) 0.8 (d) 0.12 (e) 0.09

5. (a) 20% (b) 15% (c) 4% (d) 45% (e) 22% (f) 44%

6. $\frac{2}{5} \times \frac{1}{2} = \frac{2}{10} = \frac{1}{5}$ or cancel before multiplying

7. (a) $33\frac{1}{3}\%$ (b) 40% (c) 75% (d) 3% (e) $66\frac{2}{3}\%$ (f) 0.1%

8. (a) $\frac{32}{49}$ (b) $\frac{15}{28}$ (c) $\frac{5}{8}$ (d) $\frac{8}{27}$

9. (a) 60%, 0.7, $\frac{3}{4}$ (b) $\frac{1}{50}$, 0.03, 5% (c) 23%, 0.3, $\frac{3}{9}$

10. $\frac{7}{6}\left(\frac{49}{42}\right)$ larger than $1\frac{1}{7}\left(\frac{48}{42}\right)$

Page 313 **Exercise 3M**

1. 1960 **2.** 2952 **3.** 2375 **4.** 7704

5. (a) 375 (b) 561 (c) 1134

6. (a) 56 (b) 17 (c) 26 (d) 45

7. 5 **8.** 150 **9.** 3388 g **10.** 36

Page 314 **Exercise 4M**

1. (a) $6.54 + 1.73 = 8.27$ (b) $4.75 + 4.35 = 9.10$ (c) $6.872 + 1.219 = 8.091$

2. (a) 10 (b) 1.7 (c) 1.6 (d) 0.854 (e) 1 (f) 0.02

3. 2.4

68

4.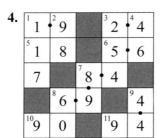

5. £8.40

6. Correct. Multiply numerator and denominator by 10.

7. (a) 32.92   (b) 0.78   (c) 1.24   (d) 3.4   (e) 5.3   (f) 8.61

    (g) 1.42   (h) 48.12   (i) 20   (j) 160   (k) 0.024   (l) 840

Page 315   **Exercise 5M**

1. (a) $\dfrac{1}{7}$ (b) $\dfrac{1}{11}$ (c) $\dfrac{1}{2}$ (d) 18   (e) $\dfrac{2}{3}$ (f) $\dfrac{7}{100}$

2. 27   **3.** 240   **4.** £1365   **5.** 64.2 cm

6. (a) 25%   (b) 40%   (c) $33\tfrac{1}{3}$%   (d) 2%

7. 60%

8. (a) 0.15, $\dfrac{1}{5}$, 22%, $\dfrac{1}{4}$ (b) 0.05, $\dfrac{1}{8}$, 52%, $\dfrac{3}{5}$ (c) 0.17, 66%, $\dfrac{2}{3}$, 0.7

9. 18% of 300   **10.** 900   **11.** 70.4   **12.** £141.50

Page 316   **Exercise 6M**

1. (a) 3:7   (b) 2:8:3   (c) 2:1   (d) 1:4:5   (e) 5:1   (f) 15:1

2. jackets more by £30

3. 36 litres   **4.** 400 g   **5.** £10 000   **6.** 1:30

7. 324 cm²   **8.** 125 g

Page 317   **Need more practice with number work?**

1. (a) 7.8   (b) 17.6   (c) 13.7   (d) 0.042

2. 2   **3.** 21   **4.** 805   **5.** 1   **6.** 1147

7. (a) $\dfrac{1}{5}$ (b) $\dfrac{9}{10}$ (c) $\dfrac{3}{100}$ (d) $\dfrac{11}{100}$ (e) $\dfrac{43}{100}$ (f) $\dfrac{3}{100}$

    (g) $\dfrac{3}{20}$ (h) $\dfrac{17}{20}$ (i) $\dfrac{6}{25}$ (j) $\dfrac{1}{20}$

8. £242.50   **9.** School now has 7 more students   **10.** $2 \times 2 \times 5 \times 7$

11. (a) $6.89 - 1.32 = 5.57$ (b) $8.73 - 3.26 = 5.47$ (c) $7.48 - 6.78 = 0.70$

12. $\dfrac{23}{20} = 1\dfrac{3}{20}$ m   **13.** £210

14. (a) $\dfrac{2}{5}$, 0.4, 40%   (b) $\dfrac{3}{20}$, 0.15, 15%   (c) $\dfrac{3}{25}$, 0.12, 12%

     (d) $\dfrac{4}{25}$, 0.16, 16%   (e) $\dfrac{1}{25}$, 0.04, 4%

15. $\dfrac{1}{40}$

Page 318   *Extension questions with number work*

1. £200

2. (a) $\dfrac{17}{21}$ (b) $4\dfrac{1}{6}$ (c) $\dfrac{11}{20}$ (d) $\dfrac{3}{4}$ (e) $3\dfrac{11}{12}$ (f) $1\dfrac{7}{12}$

3. (a) 21   (b) 9702

4. $\dfrac{5}{12}$ **5.** 36 cm   **6.** £185.30

7. (a) 25   (b) 120   (c) 215   (d) 30

8. Zak $\dfrac{105}{300}$, Bella $\dfrac{68}{85}$, Eric $\dfrac{30}{75}$, Vanya $\dfrac{7}{25}$, Arna $\dfrac{17}{20}$, Julia $\dfrac{75}{125}$

9. H.C.F. = 26, L.C.M. = 360 360   **10.** 7:2

Page 320   *Exercise 1M*

1. (a) 2.4   (b) 8.9   (c) 4.7   (d) 12.5   (e) 16.4

2. (a) 1.92   (b) 4.07   (c) 10.00   (d) 65.37   (e) 14.04

3. pupil choice

4. (a) 9.3   (b) 59.5   (c) 0.8   (d) 129.8   (e) 1.4

     (f) 11.7   (g) 22.6   (h) 27.3

5. rectangle A: 26.3 cm², triangle B: 20.1 cm²

6. (a) 1.57   (b) 19.36   (c) 0.23   (d) 2.23   (e) 1.24

     (f) 4.56   (g) 74.62   (h) 7.89

7. (Teacher's note: Many 'ordinary' rulers are not very accurate! If necessary, allow for minor differences to the following answers.)

     (a) 8.1 cm   (b) 2.2 cm   (c) 10.8 cm   (d) 5.5 cm   (e) 12.7 cm

8. (a) (i) 5.0×2.7 cm   (ii) 5.7×3.8 cm   (b) (i) 13.5 cm²   (ii) 21.7 cm²

9. Should only round off at the very end after the multiplication

10. (a) 6.2   (b) 14.70   (c) 0.01   (d) 712.8   (e) 3.91   (f) 24.7

Page 322   **Exercise 2M**

1. Correct   **2.** Not correct

3. (a) 2.19   (b) 32.8   (c) 264   (d) 0.814   (e) 0.0856   (f) 4760

(g) 5170   (h) 0.0337

4. (a) 43   (b) 7   (c) 0.837   (d) 1230   (e) 43 000   (f) 0.065

5. 51.1 m   **6.** 5

7. (a) 5.5   (b) 0.0012   (c) 81

8. pupil choice   **9.** 7.804, 7.83, 7.807, 7.75

Page 324   **Exercise 3M**

1. 1000   **2.** 70   **3.** 60   **4.** 200   **5.** 400

6. 30   **7.** 8000   **8.** 10 000   **9.** 30   **10.** 800 000

11. 150   **12.** 80   **13.** 60   **14.** 20   **15.** 1

16. 300   **17.** 0.6   **18.** 8000   **19.** £4000   **20.** £20

Page 324   **Exercise 4M**

1. (a) £24   (b) £23.88   **2.** £80

3. (a) 120 cm²   (b) 118.34 cm²

4. £150   **5.** £4800   **6.** £300

7. (a) 48.99   (b) 1.96   (c) 214.2   (d) 15.33   (e) 103.8   (f) 7.657

8. (a) 20.64   (b) 52.56   (c) 200.9   (d) 1.19   (e) 9.13   (f) 0.14

9. (a) £16 000 − £20 000   (b) £2000 − £2500

10. £5 million

Page 325   **Need more practice with rounding numbers?**

1. (a) 18.8   (b) 3.6   (c) 17.1   (d) 0.8   (e) 5.4   (f) 11.3

(g) 10.3   (h) 7.1

2. (a) 3.76   (b) 11.64   (c) 0.38   (d) 138.30   (e) 11.44   (f) 7.06

(g) 6.58   (h) 5.31

3. False   **4.** False   **5.** 390

6. 2100 km   **7.** 17 900   **8.** Correct because ≈ 20 × 1 = 20

9. 0.004   **10.** ≈£18 000

Page 326 **Extension questions with rounding numbers?**

1. 0.01751   **2.** 28.6 cm²   **3.** 8.485   **4.** 3000

5. (a) 0.61   (b) 1.46   (c) 15000

6. True

7. (a) 5.04   (b) 23.478   (c) 17.63   (d) 81.3604   (e) 8.04   (f) 40.2

8. 3.0000   **9.** 4   **10.** ≈£54

Page 328 **Exercise 1M**

1. (a) $\dfrac{1}{7}$ (b) $\dfrac{2}{7}$ **2.** (a) $\dfrac{3}{5}$ (b) $\dfrac{2}{5}$ **3.** Bag A

4. (a) $\dfrac{1}{6}$ (b) $\dfrac{1}{2}$ (c) 0   **5.** (a) $\dfrac{1}{2}$ (b) $\dfrac{2}{5}$

6. (a) $\dfrac{1}{6}$ (b) $\dfrac{1}{3}$ **7.** (a) $\dfrac{1}{5}$ (b) 0   (c) $\dfrac{2}{5}$

8. 29 is prime so $\dfrac{1}{6}$ of 29 and $\dfrac{1}{5}$ of 29 cannot give a 'whole number' of beads

9. (a) 1   (b) 0

Page 330 **Exercise 2M**

1. (a) $\dfrac{1}{4}$ (b) $\dfrac{1}{2}$ (c) $\dfrac{1}{13}$ (d) $\dfrac{3}{13}$ (e) $\dfrac{1}{52}$

2. (a) $\dfrac{1}{20}$ (b) $\dfrac{1}{5}$ (c) $\dfrac{1}{5}$ (d) $\dfrac{1}{2}$ (e) $\dfrac{1}{4}$

3. (a) $\dfrac{5}{8}$ (b) $\dfrac{3}{8}$ (c) $\dfrac{1}{8}$

4. $\dfrac{2}{3}$

5. (a) (i) $\dfrac{2}{11}$ (ii) $\dfrac{3}{11}$ (b) (i) $\dfrac{5}{11}$ (ii) $\dfrac{2}{11}$

6. (a) $\dfrac{1}{9}$ (b) $\dfrac{2}{3}$ **7.** (a) $\dfrac{1}{8}$ (b) $\dfrac{1}{2}$ (c) 1

8. (a) $\dfrac{5}{7}$ (b) 0   (c) $\dfrac{4}{7}$ **9.** (a) $\dfrac{4}{39}$ (b) $\dfrac{4}{39}$ (c) 0

10. (a) True; she has a $\dfrac{1}{6}$ chance, Ben has $\dfrac{1}{7}$ (b) False; chance for Sarah is $\dfrac{1}{2}$ but Ben's is $\dfrac{3}{7}$

(c) False

Page 332 **Exercise 3M**

1. $\dfrac{3}{8}$ **2.** $\dfrac{4}{25}$ **3.** (a) ABC, ACB, BAC, BCA, CAB, CBA   (b) $\dfrac{1}{3}$ (c) $\dfrac{2}{3}$ (d) $\dfrac{2}{3}$

4. (a) (4, 4) (4, 6) (4, 7) (4, 9) (6, 4) (6, 6) (6, 7) (6, 9) (7, 4) (7, 6) (7, 7) (7, 9) (9, 4) (9, 6) (9, 7) (9, 9)

(b) $\dfrac{1}{4}$

5. $\dfrac{x}{x+y}$ **6.** (a) $\dfrac{w}{w+g+p}$ (b) $\dfrac{p}{w+g+p}$ (c) $\dfrac{g+p}{w+g+p}$

7. Liz did the experiment properly.

Page 333   Need more practice with probability?

1. (a) $\dfrac{1}{3}$ (b) $\dfrac{1}{3}$ **2.** (a) $\dfrac{1}{9}$ (b) $\dfrac{4}{9}$ (c) $\dfrac{4}{9}$

3. (a) $\dfrac{1}{5}$ (b) $\dfrac{2}{5}$

4. $\dfrac{1}{150}$ **5.** 8   **6.** $\dfrac{1}{55}$

7. (a) $\dfrac{1}{13}$ (b) $\dfrac{1}{52}$ (c) $\dfrac{1}{4}$ **8.** (a) $\dfrac{3}{11}$ (b) $\dfrac{5}{11}$ (c) $\dfrac{1}{11}$

9. (a) $\dfrac{5}{9}$ (b) $\dfrac{1}{3}$ (c) $\dfrac{1}{9}$ (d) $\dfrac{5}{11}$

10. (a) $\dfrac{12}{49}$ (b) $\dfrac{3}{49}$

Page 334   Extension questions with probability

1. 1 red ball and 1 white ball   **2.** 2 white balls and 1 red ball

3. 2 red balls and 1 white ball   **4.** 1 red ball and 3 white balls

5. $\dfrac{3}{8}$ **6.** (a) True   (b) Unlikely as Monopoly involves more skill

7. (a) (i) $\dfrac{1}{16}$ (ii) $\dfrac{1}{9}$ (b) (i) $\dfrac{1}{12}$ (ii) $\dfrac{1}{3}$

8. $\dfrac{1}{7}$

9. 6 black balls and 3 white balls   **10.** equal probability $= \dfrac{1}{12}$ for both

Page 337   Spot the mistakes 10

1. 1 share $= 420 \div 5 = 84$ not 30 so Russell gets £588

2. 0.0604 (3s.f.)   **3.** Correct

4. Question wants answer in metres so 7.2 m

5. Not correct because do not know skill levels of the two players, etc.

6. H.C.F. $= 2 \times 7 = 14$

7. Price $=$ £20 in sale so £24 after the sale.

8. Correct

9. Should only round at the end. Perimeter = $(1.324 + 3.232) \times 2 = 9.112 \, \text{cm} = 9.11 \, \text{cm}$

10. 36 outcomes when two dice are thrown so probability of 1 and 1 is $\dfrac{1}{36}$

Page 339 **Applying mathematics 5**

1. £26.10

2. (a) 564   (b) 527   (c) 68   (d) 4695   (e) 32.05   (f) 6432

3. 81 cm²   **4.** 39°   **5.** £300 000 000.00

6. (a) $\begin{pmatrix} 2 \\ 0 \end{pmatrix}$ (b) BC

     (c) 90° clockwise about B, 90° anticlockwise about C, 180° about mid-point of BC

7. 49.94 m   **8.** £982.80   **9.** $54 \times 3 = 162$ **10.** 82%

Page 341 **Unit 5 Mixed Review**

Part one

1. 120 g   **2.** £4 999 998   **3.** $19x + 18$ **4.** 67.5%

5. (a) $5 + 4 - 2 = 7$ (b) $(5 + 4) \div 3 = 3$ (c) $(1 + 2) \div (5 - 3) = 1\frac{1}{2}$

     (d) $(5 + 4 + 2) \times 3 = 33$

6. 3.2   **7.** 17

8. (a) 20°C   (b) 16°C   (c) 17.00 and 22.30   (d) 15.00   (e) 22.00

9. (a) 30   (b) 19   (c) 25   (d) 10

10. 1032   **11.** 10 mins   **12.** $\dfrac{1}{10}$

13. (a) 5.5   (b) 0.3   (c) 2.2

14. 48

15. (a) 5   (b) 56   (c) $\dfrac{3}{4}$

Part two

1. $n(n + 4) = n^2 + 4n$ **2.** 2.5   **3.** £5.40, £8.10   **4.** Correct

5. (a) $\dfrac{7}{8}$ (b) 18   (c) $1\frac{1}{2}$

6. (a) Various eg. $346 - 1, 690 \div 2$ (b) eg. $460 \div 4$ **7.** 105

8. (a) $5.35 + 3.74$ (b) $7.98 - 3.83 = 4.15$ (c) $43.7 + 26.3 = 70.0$

9. 7.07

10. (a) $5x - 15$ (b) $6x + 12$ **11.** (a) Crab has stopped   (b) 10.45

12. $\dfrac{10}{11}$ **13.** 1 green, 2 yellow, 3 blue   **14.** 45:72:160

Page 345   **Puzzles and Problems 5**

Break the codes

1. γ ↑ ! ⊖ ⊥
   2   3   5   1   9

2. ♂ ♏ □ ⊙ ↑ ✳ ⊠ △ ◐ ⊠
   1   5   7   6   8   3   9   4   2   0

3. ♂ ♏ □ ⊙ ↑ ✳ ⊠ △ ◐ ⊠
   9   0   5   8   7   3   6   2   4   1

4. ♂ ♏ □ ⊙ ↑ ✳ ⊠ △ ◐ ⊠
   8   3   1   7   0   9   2   4   6   5

Page 347   **Mental Arithmetic Test 1**

1. $\dfrac{7}{100}$ **2.** £57   **3.** equilateral   **4.** 4.7   **5.** three from 1, 2, 3, 6

6. 24   **7.** 10   **8.** 3.5 cm   **9.** obtuse   **10.** 29

11. 20   **12.** £22   **13.** $\dfrac{2}{6} = \dfrac{1}{3}$ **14.** 60%   **15.** 360°

16. 28 cm   **17.** 16   **18.** same   **19.** 30   **20.** 8

21. £10 000   **22.** 85 m   **23.** 3000 m   **24.** 90°   **25.** 35

Page 347   **Mental Arithmetic Test 2**

1. 220   **2.** 199   **3.** 1989   **4.** $\dfrac{1}{5}$ **5.** £1.44

6. 32   **7.** 75°   **8.** 1   **9.** none   **10.** 2.5

11. $\dfrac{5}{12}$ **12.** £4.08   **13.** 24   **14.** 207   **15.** 60

16. 48 miles   **17.** 30   **18.** 15   **19.** 3600   **20.** 12

21. False   **22.** 15   **23.** £5.50   **24.** 160   **25.** 999

Page 348   **Roman numerals**

1. (a) 7   (b) 13   (c) 16   (d) 27   (e) 18   (f) 19

   (g) 45   (h) 72   (i) 327   (j) 94   (k) 2006   (l) 949

2. (a) VIII   (b) XVII   (c) XXII   (d) LVIII   (e) XXXIX

   (f) LXXXIV   (g) LXXVIII   (h) CXXIII   (i) CCCXXXIX   (j) MCCLXV

   (k) MLXVI   (l) MMMCXCIV

4. (a) IX   (b) XVII   (c) XXX   (d) XXXIV   (e) XXXV

   (f) LIII   (g) CCCXI   (h) X   (i) XXXVI   (j) CXXXIII

(k) XLII   (l) LXXXIV   (m) VIII   (n) V   (o) VI

(p) IV   (q) XL   (r) MCCCXXXIX

UNIT 6

Page 350   ***Exercise 1M***

1. 590 cm   **2.** 9130 g   **3.** 0.7 kg   **4.** 3500 m   **5.** 4.3 cm

6. 0.7 m   **7.** 4000 ml   **8.** 2.5 t   **9.** 2400 g   **10.** 0.3 m

11. 0.509 kg   **12.** 20 cm   **13.** should be kg   **14.** 975 g

15. (a) 125 ml   (b) 23 g   (c) 55 820 ml   (d) 500 mm   (e) 50 g   (f) 700 cm³

16. 13   **17.** 2.125 t   **18.** 410 mℓ, 489 cm³, 0.87 ℓ, 1.1 ℓ, 1250 mℓ, 1.542 ℓ

Page 351   ***Exercise 2M***

1. 12 stones (= 168 pounds)   **2.** 14 inches

3. (a) 5 feet   (b) 4 ounces   (c) 38 inches   (d) 107 pounds   (e) 8960 pounds

(f) 77 inches   (g) 8800 yards   (h) 26 feet   (i) 62 pounds   (j) 12 pints

4. 158 400 inches   **5.** 5.75 gallons   **6.** 9 inches

7. 53 488 ounces   **8.** $\frac{3}{5}$ mile larger by 8 feet

Page 353   ***Exercise 2E***

1. 36 litres   **2.** 8.8 pounds   **3.** 45 litres   **4.** 10 miles   **5.** 20 cm

6. 20 kg   **7.** 10 feet   **8.** 48 km   **9.** 3 ounces   **10.** 160 cm

11. (a) 6 feet   (b) 350 ml   (c) 30 m   (d) 10 mm   (e) 25 g

12. (c) or a large van!

13. yes   **14.** 4 miles   **15.** £12.42   **16.** Yes

17. Yes (34 inches = 85 cm)   **18.** triangle longer by 2.5 cm

19. 1 metre (1 yard = 3 feet ≈ 90 cm)   **20.** 7 gallons

Page 355   ***Exercise 3M***

1. 5000   **2.** 300   **3.** 7 g   **4.** 2.325 kg

5. (a) 0.34 m²   (b) 0.08 m²   (c) 6.47 m²

6. 112.32 litres   **7.** 14   **8.** 432 g

9. (a) 384 hectares   (b) 32 hours   **10.** Seb

76

Page 356   **Need more practice with metric and imperial units?**

1. 505 m   **2.** 1640 kg

3. (a) 50 inches   (b) 6 yards   (c) 115 pounds   (d) 84 ounces

  (e) same   (f) 5 stones 7 pounds

4. 2.5 cm   **5.** Needs to change 2 m into cm   **6.** 2.1 kg

7. 91 kg   **8.** 60   **9.** £66.15   **10.** 5 kg

Page 357   **Extension questions with metric and imperial units**

1. 3 pounds   **2.** 90000 cm³ or 0.09 m³

3. (a) 2 feet, 0.55 m, 50 cm, 7 inches, 16 cm   (b) 1.1 pound, 0.48 kg, 450 g, 0.4 kg, 9 ounces

4. 3 (2.5 exactly)   **5.** 4 miles larger by 190 440 inches

6. 88 pints   **7.** 0.6 seconds   **8.** 250 000   **9.** $\frac{1}{2}$ inch

10. (a) 2400 cm²   (b) 66 700 cm²   (c) 9.8 cm²

Page 359   **Exercise 1M**

1. (a) 35°   (b) 55°   (c) 70°   (d) 15°   (e) 120°

3. (d), (f)   **4.** (a) 65°   (b) 98°   (c) 47°   (d) 73°

5. (a) $a = 80°, b = 80°, c = 20°$ (b) $d = 75°, e = 30°$

  (c) $f = 60°, g = 60°$ (d) $h = 63°, k = 54°$

6. No   **7.** Yes   **8.** 98°   **9.** 30°

Page 360   **Exercise 2M**

1. $a = 95°, b = 95°$ **2.** $c = 36°, d = 132°, e = 48°$ **3.** $f = 27°$

4. $g = 59°, h = 30°, k = 91°$ **5.** $m = 65°$ **6.** $n = 42°, 2n = 84°, 3n = 126°$

7. $p = 65°$ **8.** $q = 110°, r = 40°$ **9.** 56°

10. 106°   **11.** 26°   **12.** 60°

Page 364   **Need more practice with angles and constructions?**

1. 25°   **2.** 105°   **3.** 60°, 120°, 180°   **4.** pupil choice

7. (c) All bisectors intersect at the same point

8. 69°   **10.** 40°, 100° or 70°, 70°

Page 365 **Extension questions with angles and constructions**

1. 133° **2.** 133° **3.** 88° **4.** 64°, 64° **5.** (c) 22.5°

6. (c) the bisector passes through C

7. 135°

8. Angles in 2 triangles add up to 2 × 180° = 360°

Page 370 **Exercise 1M**

1. (a) 157.1 cm (b) 232.5 m (c) 213.6 km (d) 62.8 cm

2. 188.5 cm **3.** 226 cm **4.** 18.8 km

5. Not enough ribbon – needs another 10.8 cm **6.** 3.0 km

7. Circle greater by 4.8 cm

8. 14.1 cm **9.** 36.0 cm **10.** 107.1 cm

Page 372 **Exercise 2M**

1. (a) 380.1 mm² (b) 113.1 cm² (c) 314.2 m² (d) 530.9 cm²

2. 2206.2 cm² **3.** 55.4 m² **4.** 855.3 cm²

5. Nisha has used diameter value not the radius value.

6. B (36), C (28.3), D (24), A (6)

7. (a) 56.5 km² (b) 226.2 cm² (c) 100.5 m² (d) 265.5 mm²

(e) 50.3 km² (f) 7.1 m² (g) 314.2 cm² (h) 95.0 km²

Page 374 **Need more practice with circles?**

1. (a) (i) 94.2 m (ii) 706.9 m² (b) (i) 188.5 cm (ii) 2827.4 cm²

(c) (i) 157.1 cm (ii) 1963.5 cm² (d) (i) 201.1 km (ii) 3217.0 km²

2. 22.0 mm **3.** 9.4 km

4. C = 21.4 cm, A = 36.3 cm² **5.** C = 201.1 m, A = 3217.0 m²

6. C = 37.7 cm, A = 113.1 cm² **7.** 513.1 cm²

8. C = 125.7 cm, A = 1256.6 cm² **9.** 235.6 cm **10.** 267.0 cm²

Page 375 **Extension questions with circles**

1. (a) (i) 14.3 m (ii) 12.6 m² (b) (i) 46.3 cm (ii) 127.2 cm²

(c) (i) 18.0 m (ii) 19.2 m² (d) (i) 39.3 cm (ii) 95.0 cm²

2. (a) 210.5 cm (b) 475

3. $37.7\,\text{m}^2$ **4.** $146.5\,\text{cm}^2$ **5.** 22   **6.** 1:4

7. $2806.2\,\text{mm}^2$ (or $28.1\,\text{cm}^2$)   **8.** (a) $56.9\,\text{m}^2$ (b) 94.8%

9. 4.0 cm   **10.** 16 bags (£127.84)

Page 377   **Exercise 1M**

1. (a)

	faces	edges	vertices
A	6	12	8
B	6	12	8
C	5	9	6
D	8	18	12
E	4	6	4
F	5	8	5

(b) $F + V - 2 = E$

2. cuboids: 6 faces, 12 edges, 8 vertices   **3.** triangular prisms: 5 faces, 9 edges, 6 vertices

4. various answers   **5.** various answers

Page 378   **Exercise 2M**

1. (c) does not make a cube; (a), (b), (d), (e)   do make cubes

2. (a) C   (b) F   (d) D   (e) C

Page 380   **Need more practice with three dimensional objects?**

1. $130 - 122 = 8\,\text{cm}^2$

2. remaining shape: 7 faces, 15 edges, 10 vertices, piece cut off: 4 faces, 6 edges, 4 vertices

3. eg.

Hexagonal prism

Page 382   **Spot the mistakes 11**

1. Convert 2 m to 200 cm (area $= 9000\,\text{cm}^2$)   **2.** Correct

3. 1 stone $= 14$ pounds not 16 (weight $= 85\,\text{kg}$)

4. Only counted the edges that can be seen (answer $= 18$)

5. Used diameter in place of radius (answer $= 113.1\,\text{cm}^2$)

6. One triangle needs to be on the opposite side of the net.

7. $\text{B}\hat{\text{F}}\text{E} \neq \text{B}\hat{\text{E}}\text{F}$ (answer $= 56°$)

8. calculated $\pi \times 9$ before squaring (answer $= 254.5\,\text{cm}^2$)

9. Correct   **10.** Correct

Page 386   **Exercise 1M**

1. (a) 16   (b) 7   (c) 5   (d) 36   (e) 81   (f) $\frac{1}{3}$

2. (a) 8   (b) 2   (c) 4   (d) 10   (e) $\frac{4}{5}$ (f) $\frac{2}{7}$ **3.** 6

4. (a) $\frac{4}{7}$ (b) $\frac{2}{13}$ (c) 8   (d) $\frac{3}{5}$ (e) 7   (f) $\frac{3}{7}$

5. (a) $\frac{1}{6}$ (b) $\frac{3}{8}$ (c) $\frac{1}{2}$ (d) $\frac{7}{10}$ (e) $\frac{7}{12}$ (f) $\frac{7}{8}$ **6.** $\frac{8}{7} = 1\frac{1}{7}$

7. (a) 25   (b) 36   (c) $\frac{1}{4}$ (d) 0   (e) 100   (f) $\frac{1}{20}$

8. $n = 5$, length $= 17\,\text{cm}$, width $= 5\,\text{cm}$

9. $n = 9$, length $= 25\,\text{cm}$, width $= 9\,\text{cm}$

Page 387   **Exercise 2M**

1. (a) $\frac{3}{4}$ (b) $\frac{4}{5}$ (c) $\frac{7}{2} = 3\frac{1}{2}$ (d) $\frac{7}{2} = 3\frac{1}{2}$ (e) $\frac{1}{3}$ (f) $\frac{3}{2} = 1\frac{1}{2}$

2. (a) 3   (b) 2   (c) 3   (d) 5   (e) 9   (f) 3

3. (a) $3n + 2 = 23$ (b) 112

4. (a) $\frac{4}{5}$ (b) $\frac{1}{2}$ (c) $\frac{3}{2} = 1\frac{1}{2}$ (d) 7   (e) $\frac{11}{2} = 5\frac{1}{2}$ (f) $\frac{1}{3}$

5. 23

6. $x = 25°$; 80°, 45°, 110°, 125°

7. (a) 7   (b) $\frac{7}{9}$ (c) $\frac{5}{2} = 2\frac{1}{2}$ (d) $\frac{11}{6} = 1\frac{5}{6}$ (e) 4   (f) $\frac{3}{4}$

   (g) $\frac{5}{4} = 1\frac{1}{4}$ (h) $\frac{5}{2} = 2\frac{1}{2}$ (i) $\frac{1}{4}$

Page 388   **Exercise 3M**

1. (a) 9   (b) 3   (c) 7   (d) 4   (e) 6   (f) 7

   (g) 9   (h) 7   (i) 14

2. (a) $\frac{1}{2}$ (b) $\frac{14}{5} = 2\frac{4}{5}$ (c) $\frac{15}{4} = 3\frac{3}{4}$ (d) $\frac{2}{3}$ (e) $\frac{13}{6} = 2\frac{1}{6}$

3. (a) 3   (b) 5   (c) 4   (d) 7   (e) 4   (f) 1

4. 2 stones

5. Divided the wrong way round at the end $\left(x = \frac{8}{7} = 1\frac{1}{7}\right)$

6. £20

Page 389   ***Need more practice with equations?***

1. (a) 9   (b) $\frac{3}{4}$ (c) 32   (d) 28   (e) 7   (f) 3

(g) 9   (h) 8   (i) 6

2. (a) 5   (b) 7   (c) 6   (d) 11   (e) 6

3. (a) 6   (b) 4   (c) 7   (d) 3   (e) 3   (f) 2

4. 7   **5.** 6

6. (a) $5n + 45 = 180$ (b) $54°, 57°, 69°$

7. (a) $x, 2x, 2x + 12$ (b) $5x + 12 = 137$ (c) £25

Page 390   ***Extension questions with equations***

1. (a) 8   (b) 8   (c) 11   (d) 4   (e) 5   (f) 7

(g) $\frac{1}{2}$ (h) $\frac{11}{4} = 2\frac{3}{4}$ (i) $\frac{10}{3} = 3\frac{1}{3}$

2. (a) $\frac{9}{10}$ (b) $\frac{8}{9}$ (c) $\frac{21}{15} = \frac{7}{5} = 1\frac{2}{5}$ (d) $\frac{45}{12} = \frac{15}{4} = 3\frac{3}{4}$

(e) $\frac{23}{20} = 1\frac{3}{20}$ (f) $\frac{31}{10} = 3\frac{1}{10}$

3. 171

4. (a) $n, n + 1, n + 2$ (b) 43

5. (a) 10   (b) 16   (c) 8   (d) $\frac{20}{3} = 6\frac{2}{3}$

(e) 6   (f) $\frac{34}{5} = 6\frac{4}{5}$

6. $54 \, \text{cm}^2$ **7.** 364.5

8. (a) $1\frac{1}{2}$ (b) $5\frac{5}{8}$ (c) $4\frac{2}{7}$

Page 391   ***Exercise 1M***

1. (a) 14   (b) 26   (c) 6   (d) 1.3   (e) 2   (f) 1.1

2. 3   **3.** 2000   **4.** 1.4   **5.** 5   **6.** -1 **7.** 10

8. (a) 3, 48   (b) 7, 16   (c) 32, 2   (d) 9, -6

9. 720   **10.** $\frac{5}{11}$ **11.** 1440   **12.** (a) 16   (b) 55

Page 392   ***Exercise 2M***

1. (a) 8, 10, 12, 14, 16   (b) 100, 96, 92, 88, 84   (c) 10, 20, 40, 80, 160   (d) 64, 32, 16, 8, 4

2. (a) add 7　　　　(b) subtract 11　　　　(c) add 0.2　　　　(d) multiply by 2

3. (a) 47　　　　(b) 3　　　　(c) 25→51→103→207

4. (a) 28　　　　(b) 3　　　　(c) 1→1→1→1

5. pupil choices

6. add 2, multiply by 3 (many others)

7. (a) add $\frac{1}{2}$　　　　(b) multiply by 2　　　　(c) add 0.1

(d) divide by 3　　　　(e) subtract 0.15　　　　(f) divide by 2

(g) multiply by 2 and add 2　　(h) multiply by 3 and add 1

8. (a) 3, 2.7, 2.4, 2.1, 1.8, 1.5　　(b) 864, 144, 24, 4, $\frac{2}{3}, \frac{1}{9}$　　(c) 27, 38, 49, 60, 71, 82

(d) 600, 60, 6, 0.6, 0.06, 0.006　(e) 1, 4, 5, 9, 14, 23　　(f) 0, 2, 2, 4, 6, 10

(g) 3, 9, 21, 45, 93, 189　　(h) 5, 7, 11, 13, 17, 19

9. (a) 4, 9, 14, 19, 24　　(b) 20, 17, 14, 11, 8　　(c) 3, 6, 12, 24, 48

(d) 1, 10, 100, 1000, 10 000

10. −7 or less

11. (a) 6561　　　　(b) 177 147

Page 394 **Exercise 3M**

1. (b) 3　　　　　　　　　　　　**2.** (c) 2 times, add 1

3. (b) is 4 more than the number of black squares　　**4.** (c) 4 times, add 1

5. $s = 3n$, $s = 2n + 1$, $s = 4n + 1$

Page 396 **Exercise 4M**

1. (a) 6　　　　(b) 12　　　　(c) 60

2. (a) 7　　　　(b) 15　　　　(c) 205

3. (a) 7, 14, 21, 28　(b) 4, 5, 6, 7　(c) 4, 7, 10, 13　(d) 24, 23, 22, 21　(e) 11, 15, 19, 23

4. (a) $10n$　　　　(b) $3n$　　　　(c) $4n + 1$　　　　(d) $50n$　　　　(e) n^2

(f) $2n + 6$　　(g) $3n + 8$　　(h) $12n$

5. (a) M5 = 20, M6 = 24, N5 = 22, N6 = 26　　(b) M15 = 60, N20 = 82

6. (a) 25　　　　(b) 21　　　　(c) 33　　　　(d) 29

7. (a) (10, 3)　　(b) (100, 3)　　(c) (101, 1)　　(d) (201, 1)

8. (a) A   (b) B, C   (c) B   (d) A, B, C

    (e) A, B, C   (f) B, C

9. (a) (4, 8)   (b) (10, 20)   (c) (70, 141)

10. (a) $s = 5n + 1$ (b) 76

11. pupil choice

12. eg. ⌐ ⌐ ⌐ ⌐ etc.

Page 399   *Need more practice with sequences?*

1. (b) 4, 12, 24, 40, 60, 84   **2.** 3.7, 3.95, 4.2, 4.45, 4.7

3. (a) 5, 10, 15, etc   (b) eg. 0.1, 5.1, 10.1, …   (c) no

4. (b) 4 times   (c) $s = 4n$ (d) 200

5. 3:(6, 6); 5:(10, 10); 40:(80, 80); 45:(90, 90)   **6.** Marie correct

7. 16, 26, 42   **8.** 22

9. (a) 2, 5, 8, 11, 14, 17   (b) 10, 14, 18, 22, 26, 30, 34   (c) 40, 37, 34, 31, 28, 25

10. eg. 27, 31, 35, 39

Page 400   *Extension questions with sequences*

1. (a) $5 \times 999 = 4995, 6 \times 999 = 5994, 7 \times 999 = 6993$

    (b) $33\,333 \times 5 = 166\,665, 333\,333 \times 5 = 1\,666\,665$

    (c) $1\,666\,666\,665$

2. (a) $5^2 + 5 + 6 = 36, 6^2 + 6 + 7 = 49, 7^2 + 7 + 8 = 64$ (b) $12^2 + 12 + 13 = 169$

3. (a) $654\,321 \times 9 = 5\,888\,889$ (b) $= 788\,888\,889$

4. (a) $5 + 9 \times 1234 = 11\,111$ (b) $7 + 9 \times 123\,456 = 1\,111\,111$

5. (a) $6 \times 7 = 6 + 6 \times 6$

    (b) $10 \times 11 = 10 + 10 \times 10, 11 \times 12 = 11 + 11 \times 11$ and $100 \times 101 = 100 + 100 \times 100$

6. (a) (16, 4)   (b) (80, 4)   (c) (8000, 4)

7. (a) 1, 7, 21, 35, 35, 21, 7, 1

    (b) 21, 28, 36   (c) 1, 2, 4, 8, 16, etc.   (d) $512 (= 2^9)$

8. (a) 7   (b) 63   (c) $1023 (= 2^{10} - 1)$

9. (a) (120, 2)   (b) (146, 4)   (c) (179, 3)   (d) (201, 5)

10. $13 + 15 + 17 + 19 = 64 = 4^3$, etc

Page 403 **Investigation – count the crossovers**

Part D: 20 lines have 190 crossovers $\left(\dfrac{20 \times 19}{2}\right)$

Part E: 2000 lines have 1 999 000 crossovers $\left(\dfrac{2000 \times 1999}{2}\right)$

Page 404 **Spot the mistakes 12**

1. Add 3 not subtract ($x = 6$)

2. $n^2 \times 2$ not $(2n)^2$ (3, 9, 19, 33)

3. multiply by 6 before adding 4 ($x = 34$)

4. Multiply n by 4 ($s = 4n + 1$)

5. correct

6. correct

7. Sum of angles $= 360°$ not $180°$ ($n = 22°$)

8. correct

9. Asha's age should be $2x + 3$ ($x = 16$)

10. 3 in brackets must be multiplied by 4 ($x = 11$)

Page 406 **Applying mathematics 6**

1. 15   **2.** 440 g   **3.** Does not fit (top triangle angle is 56° and it needs to be 54°)

4. (a) 20   (b) 1008 mm

5. $5n - 7 = 2n + 5$, perimeter $= 65$ cm   **6.** 0.08 mm

7. interest $= £305.53$ so enough for an ipad

8. (a) 2010 denarii   (b) Rome

9. (a) 14   (b) 32, 95   (c) 3, 8, 23

10. 21.5%

Page 408 **Unit 6 Mixed Review**

Part one

1. 111   **2.** (a) BC   (b) JK   (c) H   **3.** hemisphere

4. 6561   **5.** 0.999 m   **6.** 64 g

8. (a) $n = 42$ (b) $y = 8$ (c) $x = \dfrac{5}{8}$ (d) $w = \dfrac{4}{5}$ (e) $p = \dfrac{1}{8}$ (f) $a = 23$

9. (c) 27   (d) $c = 5n + 2$

10. 7000   **11.** 56°   **12.** 240 g

13. (a) 20.1 cm (1 d.p.)   (b) 29.0 cm²

14. 90°

15. (a) 470 cm   (b) 0.063 kg   (c) 48 inches   (d) 0.36 km

          (e) 8000 ml   (f) 32 ounces   (g) 4.5 cm   (h) 15 feet

Part two

1. (a) 65 536   (b) 4 194 304   **2.** 37°   **3.** £637

4. (a) $y = \dfrac{14}{3} = 4\dfrac{2}{3}$ (b) $x = 5$ (c) $x = 9$ (d) $x = 9$

    (e) $x = 26$ (f) $y = 9$

5. 320 secs = 5 min 20 sec   **6.** Lana by 0.5 cm

7. $a = 6, b = 4, c = 5, d = 6, e = 4, f = 5$ **8.** 2.9 g

9. (a) C5 = 28, D5 = 31   (b) C10 = 58, D30 = 181

11. Cathy has used radius but should have used diameter when finding the circumference.

12. £13   **13.** £5.30   **14.** 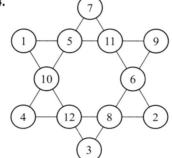   **15.** (a) 69°   (b) 36°